Diagnóstico Psiquiátrico

Um Guia

Infância e Adolescência

2ª Edição

Outros Livros do Autor

- O Uso de Psicofármacos – Um Guia – 2ª Edição
- Exame das Funções Mentais – Um Guia – 3ª Edição

Diagnóstico Psiquiátrico

Um Guia

Infância e Adolescência

2ª Edição

Marcos de Jesus Nogueira
Médico Psiquiatra.
Coordenador do Núcleo de Estudos de Conduta Humana (NECH), Araraquara – SP.
Membro Titular da Sociedade Brasileira de História da Medicina.

Marina Baroni Borghi
Psicóloga Clínica.
Especialista em Psicoterapia Fenomenológica Existencial.

Mariana Giannecchini Ferrari Smirni
Psicóloga Clínica.
Psicanalista.
Mestre em Desenvolvimento Regional e Meio Ambiente.

Maurício Eugênio Oliveira Sgobi
Psicólogo Clínico.
Especialista em Transtornos de Substâncias e do Controle dos Impulsos.

EDITORA ATHENEU

São Paulo —	*Rua Avanhandava, 126 – 8º andar* *Tels.: (11) 2858-8750* *E-mail: atheneu@atheneu.com.br*
Rio de Janeiro —	*Rua Bambina, 74* *Tel.: (21) 3094-1295* *E-mail: atheneu@atheneu.com.br*

CIP-BRASIL. CATALOGAÇÃO NA PUBLICAÇÃO
SINDICATO NACIONAL DOS EDITORES DE LIVROS, RJ

D526

Diagnóstico psiquiátrico : um guia : infância e adolescência / Marcos de Jesus Nogueira ... [et al.]. - [2. ed.]. - Rio de Janeiro : Atheneu, 2019.
128 p. ; 24 cm.

Inclui bibliografia
ISBN 978-85-388-1043-8

1. Psiquiatria infantil. 2. Psiquiatria do adolescente. I. Nogueira, Marcos de Jesus. II. Título.

19-59443 CDD: 618.9289
CDU: 616.89-053.2

Vanessa Mafra Xavier Salgado - Bibliotecária - CRB-7/6644

27/08/2019 04/09/2019

NOGUEIRA, M. J.
Diagnóstico Psiquiátrico – Um Guia – Infância e Adolescência – 2ª Edição

---

DEDICATÓRIA

"Então, lhe trouxeram alguns meninos, para que lhes impusesse as mãos e orasse por eles; e os discípulos repreenderam aos que os trouxeram. Jesus, porém, disse: 'Deixai as criancinhas, e não os impeçais de virem a mim; porque das tais é o reino dos céus.'" (Mateus 19:13-14)

"Vinde a mim as criancinhas..."
Vitral no mausoléu da Catedral Católica Romana de Nossa Senhora dos Anjos, Los Angeles, Califórnia, EUA.

Aos nossos filhos, netos, sobrinhos, enteados e seus amiguinhos.

AGRADECIMENTOS

Aos autores da primeira e segunda edições do *Diagnóstico Psiquiátrico – Um Guia*, do qual este livro desdobrou-se: Aidecivaldo Fernandes de Jesus, Kleber Lincoln Gomes, Maria Fernanda Cassavia, Mireile Luz Gomes e Ricardo de Carvalho Nogueira.

À minha colaboradora, Mariana Laurini Yoshida, e sua mãe, Marta de Azeredo Laurini, minhas inseparáveis amigas e colaboradoras, que em nossos grupos de estudos mostraram muita dedicação e curiosidade, as quais me trouxeram incentivo para a busca do conhecimento sobre as crianças e seus relacionamentos.

PREFÁCIO DA PRIMEIRA EDIÇÃO

Desde o tempo das cavernas até as paredes sabem que o desenho é uma ferramenta fantástica de comunicação. E desenho aliado ao humor aumenta muito a capacidade dessa linguagem em tratar dos mais variados temas que se possa imaginar.

É o caso das ilustrações que o Camilo Riani fez para os tópicos deste livro que você tem em mãos. Com graça e leveza, seus desenhos ajudam o leitor a entender e fixar os assuntos abordados com profundidade pelo reconhecido psiquiatra Marcos de Jesus Nogueira. Sem falar que é uma troca muito rica, quando um autor convida um artista gráfico para ajudá-lo a compor uma obra, pois, ao mesmo tempo em que o ilustrador empresta sua arte, ele está absorvendo e aprendendo o conteúdo do que ilustra.

A experiência do Dr. Marcos Nogueira sobre um assunto tão vasto e complexo se amplia em companhia das inúmeras ilustrações presentes no livro. E o Camilo ri, quer dizer, o Camilo Riani, entende como ninguém de desenho de humor e comunicação. Teoria, prática e plástica. Não só porque seja cartunista, caricaturista e artista gráfico, mas também por sua bagagem como professor e presidente do Salão Universitário de Humor de Piracicaba-Unimep há muitos carnavais.

Jean Galvão

Cartunista do jornal *Folha de S. Paulo* e da Editora Abril

PREFÁCIO DA SEGUNDA EDIÇÃO

Este é um livro diferente. Não é um texto carregado de teorias e de termos incompreensíveis para um leigo. Ao contrário, usa uma linguagem de quem vivencia e conhece bem, tanto o desenvolvimento humano como os diversos transtornos que acometem a infância e a adolescência. As ilustrações que acompanham o texto ajudam a compreensão de quem se inicia no trabalho do setor, como o leigo que deseja saber o que pode acontecer com seu filho, ou o de seu vizinho ou de um conhecido.

Ao fornecer informações precisas a respeito do **Diagnóstico Psiquiátrico**, o título mostra o caminho seguido pelo livro. Primeiro, descreve o desenvolvimento da **Infância**, até os três anos de idade. Depois, descreve os transtornos do desenvolvimento que podem afetar tanto a infância, como a **Adolescência** e até a idade adulta.

Os autores se utilizam da palavra "transtornos" e não da palavra "doenças", como antigamente eram chamados os desvios mentais. E uma mudança importante, não apenas para atender à Resolução Nº4, de 02/10/2009, mas também para indicar a condição diagnóstica dos diferentes transtornos: invasivos do desenvolvimento; da aprendizagem (fala e linguagem, habilidades escolares, motoras e hipercinéticos); da comunicação; de conduta e emoções; de alimentação e excreção (anorexia e bulimia); de tique; de mentais culturais; especiais; e de retardo mental. Os transtornos, tratados individualmente, usam a Classificação Internacional de Doenças (CID-10) da Organização Mundial da Saúde (OMS), quando existem.

Iniciando com o autismo e seus diferentes graus, o texto chega ao retardo mental, passando também pelos transtornos mentais e culturais.

Três observações, pelo menos, devem ser ressaltadas.

Os autores confirmam um novo transtorno mental cultural – o "amok símile". "Amok" significa "atacar e matar com fé cega" na língua malaia e "amok símile" se refere a acontecimentos semelhantes em outras culturas. Assim, são classificados os massacres ocorridos em escolas, igrejas, shows e ruas. Em diversos países, tem ocorrido massacres de difícil explicação. O texto lista alguns desde 1913. As interpretações populares indicam "mal-estar" das sociedades modernas. Ao incluírem no rol dos transtornos mentais culturais, os autores consideram o "amok símile" como "um fato criminal ligado a características psicopatológicas que estão se multiplicando nas sociedades ocidentais e universais".

No final do livro, o quesito sobre retardo mental, os autores consideram como "interrupção do desenvolvimento mental, prejudicando o nível global da inteligência". Junto citam as principais síndromes de retardo mental: síndromes: de Down; do X frágil; de Niemann-Pick; de Tay-Sachs; de Gaucher; do Miado do Gato; de Edwards; de Turner; de Klinefelter e Fenilcetonúria. Antes estudados individualmente com causas desconhecidas, agora são estudados sob "retardo mental". Além disso, são considerados os diferentes níveis de retardo mental: leve; moderado; grave; profundo e gravidade inespecífica.

Na área de educação, os transtornos de aprendizagem mostram importantes informações para quem também atua na área. Distinguir entre disfasia (transtorno da fala) e dislalia (sons de fala abaixo do nível da idade), entre dispraxia (comprometimento na expressão de frases) e agnosia (compreensão da linguagem abaixo do nível apropriado) são fatores que podem ser detectados por professores. Além disso, o texto também fornece informações sobre transtornos específicos das habilidades escolares, das habilidades motoras e hipercinéticas.

Finalizando, gostaria de agradecer ao Doutor Marcos de Jesus Nogueira por se lembrar do meu nome. Participei do início do "Núcleo de Estudos da Conduta Humana" (NECH) e reconheço a seriedade e a constante atualização científica dos autores deste livro e que também são ligados à Clínica do Doutor Marcos.

Orlene de Lurdes Capaldo

APRESENTAÇÃO

Após a segunda edição do *Diagnóstico Psiquiátrico – Um Guia – Infância e Adolescência* ter se esgotado esperei algum tempo para aparecerem os avanços científicos de cada patologia e as reformas categoriais das classificações internacionais e outros ensaios de autores dedicados ao tema.

Buscando constantemente pelas novas atualizações, percebi que o material selecionado aumentaria significativamente em seu volume, algo nem sempre prático para um guia; deduzi também que algumas áreas de profissionais afins poderiam ter mais interesse em áreas mais específicas, como, por exemplo, o diagnóstico psiquiátrico de crianças e adolescentes que faz parte da atenção desse público que trabalha em equipes multidisciplinares na abordagem terapêutica dessa área na psiquiatria e na psicologia. Foi decidido, por essas razões, que o livro inicial seria dividido e esse material de conhecimento do diagnóstico da infância e adolescência seria compilado nesta peça. Ressalto que mais uma vez me abstenho de enfocar, junto ao diagnóstico, o conteúdo de enfoque terapêutico pela pluralidade de abordagens que essa área contém, além de não ser o objetivo do assunto em questão.

A estrutura diagnóstica obedeceu ao caminho traçado pela Classificação Internacional de Doenças – Décima Revisão (CID-10) da Organização Mundial da Saúde (OMS), usada oficialmente no Brasil e no mundo, com exceção dos EUA, usuário do DSM-V- Quinta Edição do Manual Diagnóstico e Estatístico de Transtornos Mentais; as atualizações desse último manual também foram lembradas no livro atual. Agreguei ao conteúdo derivado das atuais classificações dados que obtive de outras fontes que poderiam facilitar e enriquecer o exercício clínico de diagnóstico. Na frente de cada transtorno, inseri sua numeração da CID, quando já existir o código, e também uma numeração entre parênteses quando não existir, mas que poderia ser utilizada para sua alocação na citada classificação.

Contando com a colaboração de colegas de minha clínica pude atualizar essa tarefa com a busca atual das últimas pesquisas, mudanças conceituais e acréscimos de categorias, nessa área tão diversificada e particularmente dinâmica; usei o material acadêmico dos grandes mestres e pesquisadores, que eu denomino engenheiros do saber, para realizar a arquitetura pedagógica, característica que utilizo em minhas obras, graças ao trabalho complementar criativo do cartunista Camilo Riani e sua equipe, com novas criações no texto aqui apresentado, particularmente no capítulo dos transtornos culturais.

Os ícones que aparecem na margem esquerda do texto foram usados para a busca e identificação de tópicos de cada transtorno e esclarecem em sobre o conceito (O que é), diretrizes diagnósticas (Descobrindo), diagnóstico diferencial (Fique de Olho), dados técnicos históricos, epidemiológicos e outros (Refinamento Técnico), pesquisa laboratorial e outras formas de investigação diagnóstica (Laboratório) e riscos imediatos e inerentes de cada doença (Perigo).

Agreguei também, neste material, um grupo de transtornos psiquiátricos menos comuns, chamados de especiais, como a Síndrome de Münchausen e a Síndrome de Estocolmo, cujo conceito foi alargado para uma série de distúrbios comportamentais atuais; nos transtornos mentais culturais, introduzi novo conceito de fenômeno psicopatológico – amok símile, em virtude de haver certo grau de universalização e verossimilhança em fenômenos observados nesse extenso universo midiático que temos na atualidade.

Assinalo, finalmente, talvez nem fosse necessário, que as charges são sempre alusivas e que evitei, na apresentação das diretrizes diagnósticas, informações redundantes, como, por exemplo, as que dizem respeito ao comprometimento do funcionamento pessoal, social e ocupacional (condição fundamental para caracterizar qualquer transtorno mental), além de indicações repetidas de exclusões e diferenciações entre os transtornos – já que são facilmente dedutíveis e poderiam tornar enfadonho o uso deste guia, que pretende ser um material de agradável consulta.

Marcos de Jesus Nogueira

SUMÁRIO

TRANSTORNOS DO NEURODESENVOLVIMENTO

Marcos de Jesus Nogueira
Marina Baroni Borghi
Mariana Giannecchini Ferrari Smirni
Maurício Eugênio Oliveira Sgobi

TRANSTORNO DO ESPECTRO AUTISTA

F84.0 AUTISMO INFANTIL

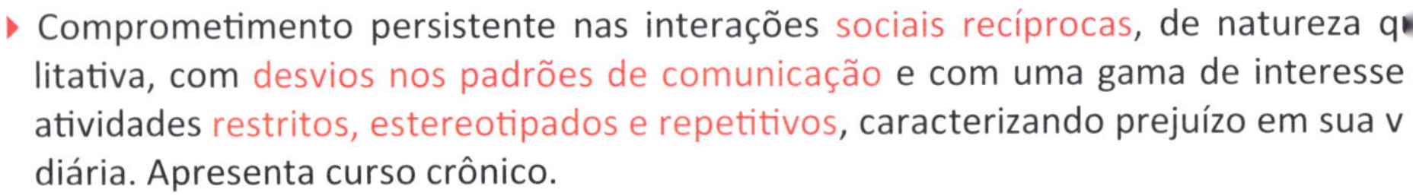

- Comprometimento persistente nas interações sociais recíprocas, de natureza q litativa, com desvios nos padrões de comunicação e com uma gama de interesse atividades restritos, estereotipados e repetitivos, caracterizando prejuízo em sua v diária. Apresenta curso crônico.
- Existe uma disfunção global e incapacitante no desenvolvimento normal da crian com diminuição no ritmo do desenvolvimento psiconeurológico, social e linguístico
- É importante ressaltar que as manifestações do transtorno variam imensame (TEA – Transtorno do espectro autista), ao longo dos anos.

- Trata-se de um distúrbio complexo e heterogêneo, com graus variados de severida considerando os dois domínios centrais: a) comunicação social e b) comportamen repetitivos e interações restritas, sendo eles:
  - – Nível 1: Boa funcionalidade – “exigindo apoio”.
  - – Nível 2: Relativa funcionalidade – “exigindo apoio substancial”.
  - – Nível 3: Baixíssimo nível de funcionalidade – “exigindo apoio muito substancial”.
- Déficits na comunicação social e interesses restritos, e, quando tênues, possivelme não possam ser distinguidos e identificados até alguns anos adiante.
- Solidão autista. Déficit de interação social (empatia, reconhecimento de esta mentais e emoções e compreensão de várias perspectivas).
- Desenvolvimento da linguagem atrasado ou desviante, mas como fator que influêr os sintomas clínicos.
- Ritmo imaturo da fala e/ou entonação da mesma.
- Uso de palavra sem associação ao significado.
- Ecolalia.

- Dislexia.
- Restrita compreensão de ideias.
- Repetição monótona de sons e expressões verbais.
- Maneirismo (chupar dedos, estalar os dedos, torcer o cabelo, balançar o corpo, etc.).
- Podem praticar e aprender escassos gestos operacionais e úteis, porém fatalmente costumam fracassar.
- Comportamentos padronizados (repetitivos e restritos).
- Obsessividade pela manutenção da uniformidade, com resistência à mudança.
- Pavor da imperfeição.
- Preferência por figuras ou objetos inanimados.
- Falta de reciprocidade socioemocional.
- Limitação na expressão e na discriminação dos afetos.
- Os sintomas podem não se manifestarem por completo, até que as necessidades surjam.
- Resistência a mudanças, demonstrando interesses intensos em atividades peculiares e significativamente particulares.
- Ataques de birra e agressão direcionada a si e a outras pessoas, em momentos de estresse.
- Surtos de risadas ou pranto sem razão aparente.
- Expressão de pensamento não coerente com o afeto.
- Fenômenos ritualísticos e compulsivos.
- Aptidões incomuns (visuomotoras ou cognitivas), montando quebra-cabeças complexos e resolvendo contas muito difíceis.
- Comportamento autodestrutivo (bate com a cabeça, morde-se).
- Imprevisibilidade nas respostas aos estímulos sensoriais (intensa ou diminuída), em especial com relação aos sonoros e visuais.
- Alterações qualitativas no uso da imaginação.
- Equilíbrio corporal afetado, com habilidade motora irregular associada.
- Estudos evidenciam limiar à dor diminuída, principalmente daqueles com maior prejuízo cognitivo.
- Transtorno de tique pode estar associado.
- Diminuição do contato ocular (atípico/empobrecido).
- Agitação ou torção das mãos ou dedos.
- Dificuldades em participar de atividades em grupo.
- Inabilidade de participar de brincadeiras imaginativas, de faz de conta.
- Falta de tentativa espontânea de compartilhar prazer, interesses ou realizações com outros (solidão autista).
- Déficits de atenção.
- Transtornos do sono (despertares noturnos com o balanço do corpo).
- Grande incidência de infecções respiratórias, convulsões febris e distúrbios intestinais.
- Prejuízos nos cuidados pessoais.
- Alguns indivíduos podem ser diagnosticados na vida adulta.
- Melhora dos comportamentos deteriorados no período da adolescência.
- Determinados indivíduos, desenvolvem comportamento motor, análogo à catatonia.
- Relatos que adultos com o transtorno utilizam estratégias de compensação para confrontar e camuflar suas dificuldades sociais
- Na fase adulta, podem apresentar dificuldades na adaptação aos novos eventos, implicando prejuízos em sua autonomia.

- Fatores de risco para o estabelecimento do diagnóstico: idade parental avança baixo peso no nascimento e exposição fetal a ácido valproico.
- Maior incidência no transcorrer do segundo ano de vida.

- Pesquisas evidenciam uma redução nas interações sociais entre o primeiro e segundo ano de vida.
- Ocorre em cerca de 13 a 60 crianças de cada 10.000.
- Mais comum em meninos (3:1). Quando em meninas, apresentam maior incapacida intelectual com muito mais frequência que os meninos.
- Cerca de 80% são associados com deficiências intelectuais.
- 70% dos casos podem ter um transtorno mental comórbido.
- 40% dos casos podem ter dois ou mais transtornos mentais comórbidos.
- Significativa incidência de convulsões (35%).
- Outras associações: Transtorno de Tourette (4% e 5%); Distúrbios do Sono (80 Epilepsia (8% e 30%); Fobias Específicas (44%) e Ansiedade de Separação (12% Transtorno de Alimentação.
- Apresenta herdabilidade maior de 38%.
- Dados nacionais:
  – 27,2 a cada 10.000 a presentam o transtorno;
  – 4 meninos para 1 menina.
- Foram encontradas associações com praticamente todos os cromossomos, por estudos recentes, evidenciam genes encontrados no cromossomo 22 que codific proteínas da família SHANK (atuam no cérebro de mamíferos, organizando as célu nevosas), estão cada vez mais correlacionados ao fenótipo do transtorno.
- Entre as síndromes genéticas que se relacionam com o transtorno está a síndro do X-frágil, em 10% a 20% dos casos.

- Etiologia multifatorial, com forte influência genética. Estudos evidenciam import te contribuição hereditária em até 15% dos casos, podendo associar-se a mutaç genéticas conhecidas.
- Outros fatores predisponentes como condições perinatais e congênitas que caus a disfunção cerebral em 30% dos casos e estão relacionadas à migração neuro e alterações nos padrões de mielinização (rubéola materna, toxoplamose, citome lovírus, síndrome de Moebius, hipomelanose de Ito, síndrome de Dandy-Wal síndrome de Cornélia de Lange, síndrome de Soto, síndrome de Golden síndrome de Williams, microcefalia, hidrocefalia, síndrome de Joubert, síndro de West, anóxia perinatal, encefalite/meningite, síndrome do X frágil, intoxica por chumbo, cirurgia de meduloblastoma de cerebelo, esclerose tuberosa, neu fibromatose, amaurose congênita de Leber, fenilcetonúria, doença celíaca, distúr do metabolismo das purinas, adrenoleucodistrofia, distrofia muscular de Duchen síndrome de Angelman).
- Baixa quantidade de neurônios e sinapses em amígdala, hipocampo e cerebelo.
- Níveis séricos aumentados de serotonina.
- Circunferência da cabeça com diâmetro maior do que pessoas sem o transtorno.
- Tem 67% de neurônios a mais no córtex pré-frontal, temporal, cerebelo e amígd assim, alguns pesquisadores acreditam que as causas do transtorno do espec autista estejam relacionadas a alguma desordem pré-natal.

- São dotados de memória excepcional e superam indivíduos normais em tarefas auditivas e visuais, como também são melhores em testes de inteligência não verbais.
- O cérebro do autismo é 17,6% mais pesado que a média geral.
- O cérebro apresenta minicolunas de neurônios piramidais excitatórios que secretam glutamato, o que, segundo a teoria funcional, sugerem um cérebro com atividade aumentada.
- Indivíduos autistas são extremamente focados, atentos e sensíveis ao ambiente.
- São superiores ao detectar variações de frequências sonoras, na visualização de estruturas complexas e na manipulação mental de objetos tridimensionais (casos como Stephen Wiltshire).
- As regiões do cérebro relacionadas ao processo visual geralmente são mais acentuadas.
- Prejuízos centrais nas seguintes áreas: intelecto, funcionamento executivo, habilidades sociais, atenção compartilhada, processamento de informações (teoria da coerência central) e atribuição de estados mentais a outras pessoas (teoria da mente).
- Ocorre independentemente do grupo racial, étnico, socioeconômico ou cultural.

- Foi descrito por Leo Kanner em 1943.
- Nas décadas de 1950 e 1960, com relação a causalidade do transtorno, havia a prevalência da teoria da "mãe-geladeira" (pais insuficientemente responsivos emocionalmente).
- Até meados de 1956, Kanner considerava o quadro como uma psicose.
- Foi incluído na CID-8, em 1967, dentro do espectro da esquizofrenia.
- Principal contribuição científica para uma melhor definição diagnóstica surgiu a partir de 1970, pelo psicólogo britânico Michael Rutter, que estabeleceu critérios que indicavam: déficits sociais e de comunicação não associados a uma deficiência intelectual, comportamento estereotipado (repetitivos) e início precoce (antes dos 30 meses).
- A partir de 1976, o psiquiatra Edward Ritvo passou a conceituá-la como um déficit cognitivo e não como uma psicose.
- Debuta no DSM-III em 1980, saindo do grupo da esquizofrenia para incorporar-se ao espectro autista.
- Apresentam importante dificuldade no reconhecimento facial em suas expressões (prosopagnosia)
- Grande interesse, desde cedo, por números, informações, geografia e dados.
- Possuem características autodidáticas.
- Confirmação de um padrão de elevação de sinais e sintomas com relação a epilepsia após a puberdade.
- Adultos e adolescentes, são inclinados a quadros de ansiedade e depressão.

FIQUE DE OLHO

- NÃO É esquizofrenia de início na infância.
- NÃO É retardo mental com sintomas comportamentais.
- NÃO É transtorno misto de linguagem receptiva expressiva.
- NÃO É afasia adquirida com convulsão.
- NÃO É surdez congênita.
- NÃO É privação psicossocial.
- NÃO É superdotação.
- NÃO É síndrome de trauma craniano.
- NÃO É síndrome pós-encefálica.
- NÃO É transtorno degenerativo.

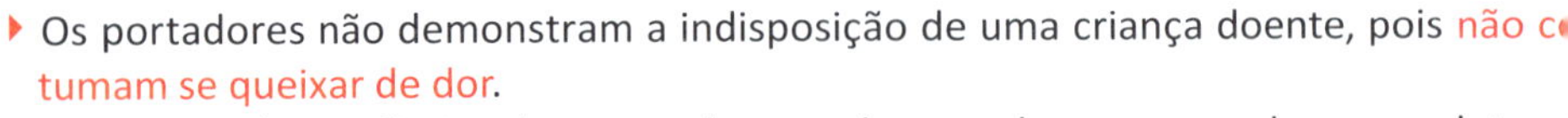

- Os portadores não demonstram a indisposição de uma criança doente, pois não c tumam se queixar de dor.
- O pediatra é o profissional que geralmente deve ser bem preparado para a detecç da doença, além da intervenção precoce, e faz a triagem e encaminhamento.
- Paradoxalmente, raras vezes exige tratamento farmacológico, a não ser sintomati mente ou nas comorbidades.
- A famílias necessitam fortemente da psicoeducação em relação ao autismo.
- Em alguns casos, poderá haver evolução para transtorno esquizofrênico comórbi em algum período posterior da infância.

- Neuroimagem funcional (para avaliação das alterações estruturais do cérebro).
- Escala de Avaliação Childhood Autism Rating Scale (CARS).
- Escala de Avaliação Behavior Checklist (ABC).
- Escala de Avaliação Austism Diagnostic Interview (ADI/ADI-R).
- Escala de Avaliação Global do Funcionamento (GAF).
- Escala de Avaliação Autism Secreening Questionnaire (ASQ).
- Escala de Avaliação de Traços Autísticos (ATA).
- Escala de Comportamento Adaptativo de Vineland.
- Teste de Microensaio de Análise Cromossômica (CMA) – Exame de detecção alterações genéticas em todos os cromossomos.
- Entrevistas familiares – Inventário Portage Operacionalizado: intervenção c famílias.
- Diagnóstico multidisciplinar.

COMPARAÇÃO
INDICADORES DE DESENVOLVIMENTO
SINAIS DE ALERTA – TEA – Transtorno do Espectro Autista

De O a 6 meses

INTERAÇÃO SOCIAL

Aos 3 meses

- Criança acompanha e busca o olhar do seu cuidador

Criança com TEA pode não fazer ou fazer com menor frequência

Aos 6 meses

- Crianças prestam mais atenção em pessoas do que em objetos ou brinquedos

Criança com TEA pode prestar mais atenção em objetos.

de 3 meses a 6 meses

- Presença de sinais corporais na identificação da música da fala de seu cuidador, além das expressões de reação aos sons ambientais (susto/choro/tremor)

Criança com TEA pode ignorar ou apresentar pouca resposta aos sons de fala d ambiente.

- Desde o começo, a criança apresenta balbucio intenso e indiscriminado, bem com gritos aleatórios, de volume e intensidade variados, na presença ou na ausência do cu dador. Por volta dos 6 meses, começa uma discriminação nessas produções sonoras, qu tendem a aparecer principalmente na presença do cuidador.

Criança com TEA pode apresentar tendência ao silêncio e/ou a gritos aleatórios.

- No inicio, o choro é indiscriminado. Por volta dos 3 meses, há o início de diferentes fo matações de choro: choro de fome, de birra, etc. Esses formatos diferentes estão ligad ao momento e/ou a um estado de desconforto.

Criança com TEA pode ter um choro indistinto nas diferentes ocasiões, e pode ter fr quentes crises de choro duradouro, sem ligação aparente a evento ou pessoa.

BRINCADEIRAS

- As crianças olham para o objeto e o exploram de diferentes formas (sacodem, atiram, batem, etc.)

No TEA, geralmente existe ausência ou pouca frequência desses comportamentos exploratórios.

ALIMENTAÇÃO

- A amamentação é um momento privilegiado de atenção por parte da criança aos gestos, expressões faciais e fala de seu cuidador.

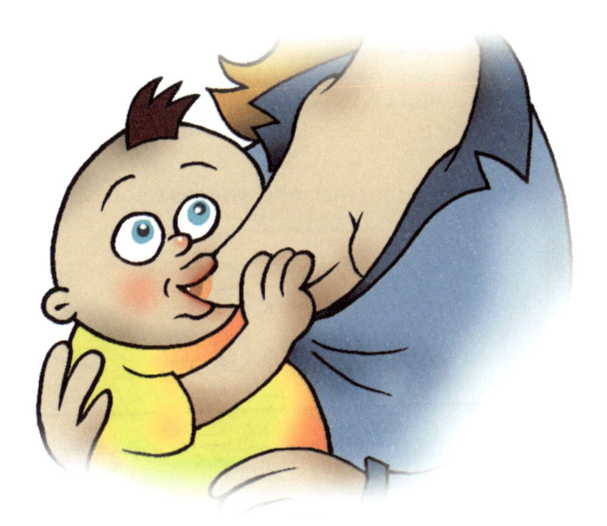

Criança com TEA pode apresentar dificuldades nesses aspectos.

De 6 a 12 meses

INTERAÇÃO SOCIAL

• Começam a apresentar comportamentos antecipatórios (p. ex.: estender os braços e fazer contato visual para "pedir" colo) e imitativos (p. ex.: gesto de beijo).

Crianças com TEA podem apresentar dificuldades nesses comportamentos.

LINGUAGEM

• O choro vai se diferenciado e gritos tornam-se mais discriminados e menos aleatórios.

Crianças com TEA podem gritar muito e manter seu choro indiferenciado, criando uma dificuldade para seu cuidador entender suas necessidades.

• Balbucio se diferenciando; risadas e sorrisos.

Crianças com TEA tendem ao silêncio e poucas expressões faciais com significado.

• Atenção a convocações (presta atenção à fala materna ou do cuidador e começa a agir como se "conversasse", respondendo com gritos, balbucios e movimentos corporais).

Crianças com TEA tendem a não conversar

• A criança começa a atender ao ser chamada pelo nome.

Crianças com TEA ignoram ao chamado ou reagem apenas após insistência ou toque.

• Começa a repetir gestos de acenos, palmas, mostrar a língua, dar beijo, etc.

Crianças com TEA podem não repetir gestos (manuais e/ou corporais) frente a uma solicitação ou pode passar a repeti-los fora do contexto, aleatoriamente.

BRINCADEIRAS

• Começam as brincadeiras sociais (como brincar de esconde-esconde), a criança pass a procurar o contato visual para manutenção da interação.

A criança com TEA pode precisar de muita insistência do adulto para se engajar na brincadeiras.

ALIMENTAÇÃO

• Período importante porque serão introduzidos texturas e sabores diferentes (sucos papinhas) e, sobretudo, porque será iniciado desmame.

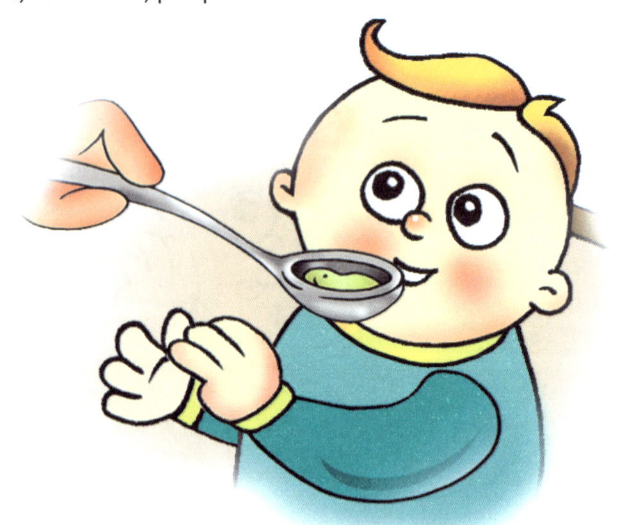

Crianças com TEA podem ter resistência a mudanças e novidades na alimentação.

De 12 a 18 meses

INTERAÇÃO SOCIAL

- Aos 15-18 meses, as crianças apontam (com o dedo indicador) para mostrar coisas que despertam a sua curiosidade.

Geralmente, o gesto é acompanhado por contato visual e, às vezes, sorrisos e vocalizações (sons). Em vez de apontar, elas podem "mostrar" as coisas de outra forma (p. ex.: colocando-as no colo da pessoa ou em frente aos seus olhos).

A ausência ou a raridade desse gesto de atenção compartilhado pode ser um dos principais indicadores de TEA.

LINGUAGEM

- Surgem as primeiras palavras (em repetição) e, por volta do 18º mês, os primeiros esboços de frases (em repetição a fala de outras pessoas).

Crianças com TEA podem não apresentar as primeiras palavras nesta faixa de idade.

• A criança aumenta a fluência de sua fala e enriquece o vocabulário em situações cotidianas e se mostra mais livre na fala.

Crianças com TEA não mostram essa fluência e enriquecimento, e apesar da fala se mostrar adequada apresenta repetição e falta de autonomia.

• A compreensão vai também saindo das situações cotidianamente repetidas e se ampliando para diferentes contextos

Crianças com TEA mostram dificuldade em ampliar sua compreensão de situações novas.

• A comunicação é, em geral, acompanhada por expressões faciais que refletem o estado emocional das crianças (p. ex.: arregalar os olhos e fixar o olhar no adulto para expressar surpresa, ou então constrangimento, "vergonha").

Crianças com TEA tendem a apresentar menos variações na expressão facial ao se comunicarem, a não ser alegria/excitação, raiva ou frustração.

BRINCADEIRAS

• Aos 12 meses a brincadeira exploratória é ampla e variada. A criança gosta de descobrir os diferentes atributos (textura, cheiro, etc.) e funções dos objetos (sons, luzes, movimentos, etc.).

A criança com TEA tende a explorar menos objetos e, muitas vezes, fixa-se em algumas de suas partes, sem explorar as funções (p. ex.: passa mais tempo girando a roda de um carrinho do que empurrando-o).

• O jogo de faz-de-conta emerge por volta dos 15 meses e deve estar presente de forma mais clara aos 18 meses de idade.

Em geral, isso não ocorre no TEA.

ALIMENTAÇÃO

• A criança gosta de descobrir as novidades na alimentação, embora possa resistir um pouco no início.

Crianças com TEA podem ser muito resistentes à introdução de novos alimentos na dieta.

De 18 a 24 meses

INTERAÇÃO SOCIAL

• Há interesse em pegar objetos oferecidos pelo seu parceiro cuidador. Olham para objeto e para quem o oferece.

Crianças com TEA podem não se interessar e não tentar pegar objetos estendidos po pessoas ou fazê-lo somente após muita insistência.

• A criança já segue o apontar ou o olhar do outro, em várias situações.

Crianças com TEA podem não seguir o apontar ou o olhar dos outros; podem não olha para o alvo ou olhar apenas para o dedo de quem está apontando. Além disso, não a terna seu olhar entre a pessoa que aponta e o objeto que está sendo apontado.

• A criança, em geral, tem a iniciativa espontânea de mostrar ou levar objetos de seu interesse a seu cuidador.

Nos casos de TEA, a criança, em geral, só mostra ou dá algo para alguém se isso reverter em satisfação de alguma necessidade imediata (abrir uma caixa, por exemplo, para que ela pegue um brinquedo em que tenha interesse imediato: uso instrumental do parceiro).

LINGUAGEM

• Por volta dos 24 meses: surgem os “erros”, mostrando o descolamento geral do processo de repeti ção da fala do outro, em direção a uma fala mais autônoma, mesmo que sem domínio das regras e convenções (por isso aparecem os “erros”).

Criança com TEA tendem a ecolalia.

• Os gestos começam a ser amplamente usados na comunicação.

Crianças com TEA costumam utilizar menos gestos e/ou a utilizá-los aleatoriamente. Respostas gestuais, como acenar com a cabeça para"sim" e "não", também podem estar ausentes nessas crianças entre os 18 e 24 meses.

BRINCADEIRAS

• Por volta de 18 meses, bebês costumam reproduzir o cotidiano por meio de um brinquedo ou brincadeira; descobrem a função social dos brinquedos. Ex.: Fazer o animalzinho "andar" e produzir sons.

A criança com TEA pode ficar fixada em algum atributo do objeto, como a roda que gira ou a uma saliência em que, passa os dedos, não brincando apropriadamente com o que o brinquedo representa.

• As crianças usam brinquedos para imitar ações dos adultos (dar a mamadeira a uma boneca; dar "comidinha" usando uma colher, "falar" ao telefone", etc.) De forma frequente e variada.

Em crianças com TEA, este tipo de brincadeira está ausente ou é rara.

ALIMENTAÇÃO

• Período importante porque, em geral, é feito: 1) o desmame; 2) começa a passagem dos alimentos líquidos/pastosos, frios/mornos para alimentos sólidos/semissólidos, frios/quentes/mornos, doces/salgados/amargos; variados em quantidade; oferecidos em vigília, fora da situação de criança deitada ou no colo; 3) começa a introdução da cena alimentar: mesa/cadeira/utensílios (prato, talheres, copo) e a interação familiar/social.

Crianças com TEA podem resistir às mudanças, podem apresentar recusa alimentar ou insistir em algum tipo de alimento, mantendo, por exemplo, a textura, a cor, a consistência, etc. Podem, sobretudo, resistir a participar da cena alimentar.

De 24 a 36 meses

INTERAÇÃO SOCIAL

- Os gestos (olhar, apontar, etc.) são acompanhados pelo intenso aumento na capa-cidade de comentar e/ou perguntar sobre os objetos e situações que estão sendo compartilhadas. A iniciativa da criança em apontar, mostrar e dar objetos para compar-tilhá-los com o adulto aumenta em frequência.

Os gestos e comentários em resposta ao adulto tendem a aparecer isoladamente ou após muita insistência. As iniciativas são raras, sendo um dos principais sinais de alerta de TEA.

LINGUAGEM

- A fala está mais desenvolvida, mas ainda há repetição da fala do adulto em várias ocasiões, com utilização dentro da situação de comunicação.

Crianças com TEA podem ter repetição da fala da outra pessoa sem relação com a situ-ação de comunicação.

- Começa a contar pequenas histórias; a relatar eventos próximos já acontecidos; a comentar sobre eventos futuros, sempre em situações de diálogo (com o adulto sustentando o discurso).

Crianças com TEA podem apresentar dificuldades ou desinteresse em narrativas referentes ao cotidiano. Podem repetir fragmentos de relatos/narrativas, inclusive de diálogos, em repetição e independente da participação da outra pessoa.

- Canta e pode recitar uma estrofe de versinhos (em repetição). Já faz distinção de tempo (passado, presente, futuro); de gênero (masculino, feminino); e de número (singular, plural), quase sempre adequadas (sempre em contexto de diálogo). Produz a maior parte dos sons da língua, mas pode apresentar "erros"; a fala tem uma melodia bem infantil ainda; voz geralmente mais agudizada.

Crianças com TEA podem tender à ecolalia; distinção de gênero, número e tempo não acontece; cantos e versos só em repetição aleatória, não "conversam" com o adulto. A criança, nas brincadeiras, usa um objeto.

BRINCADEIRAS

• A criança, nas brincadeiras, usa um objeto "fingindo" que é outro (um bloco de made ra pode ser um carrinho, uma caneta pode ser um avião, etc.). A criança brinca imitand os papéis dos adultos (de "casinha", de "médico", etc.), Construindo cenas ou estória Ela própria ou seus bonecos são os "personagens".

Crianças com TEA raramente apresentam esse tipo de brincadeira ou o fazem de mod bastante repetitivo e pouco criativo.

• A criança gosta de brincar perto de outras crianças (ainda que não necessariament com elas) e demonstram interesse por elas (aproximar-se, tocar e se deixar tocar, etc.)

A ausência dessas ações pode indicar sinais de TEA; as crianças podem se afastar, igno-rar ou limitar-se a observar brevemente outras crianças a distância.

• Aos 36 meses, as crianças gostam de propor/engajar-se em brincadeiras com outras da mesma faixa de idade.

Crianças com TEA, quando aceitam participar das brincadeiras com outras crianças, em geral, têm dificuldades em entendê-las.

ALIMENTAÇÃO

• A criança já participa das cenas alimentares cotidianas: café da manhã/almoço/jantar; é capaz de estabelecer separação dos alimentos pelo tipo de refeição ou situação (comida de lanche/festa/almoço de domingo, etc.); início do manuseio adequado dos talheres; alimentação contida ao longo do dia (retirada das mamadeiras noturnas).

Crianças com TEA podem ter dificuldade com esse esquema alimentar: permanecer na mamadeira; apresentar recusa alimentar; não participar das cenas alimentares; não se adequar aos "horários" de alimentação; pode querer comer a qualquer hora e vários tipos de alimento ao mesmo tempo; pode passar por longos períodos sem comer; pode só comer quando a comida é dada na boca ou só comer sozinha, etc.

F84.1 Autismo Atípico

- Difere do autismo em termos de idade de início ou na falha em preencher todos os conjuntos de critérios diagnósticos.
- Surge em indivíduos profundamente retardados.
- O nível muito baixo de funcionamento oferece pouca oportunidade de exibir comportamentos desviados específicos.
- Refere-se a um desenvolvimento anormal e prejudicado que se evidencia depois dos 3 anos de idade.

DESCOBRINDO

- Maneirismos bizarros.
- Padrões anormais da fala.
- Pode vir acompanhado da síndrome de Tourette, de Transtorno Obsessivo Compulsivo e de hiperatividade.
- Interações sociais recíprocas anormais.
- Comportamento restrito, estereotipado e repetitivo.

ASSOCIAÇÕES AO TRANSTORNO DO ESPECTRO AUTISTA

F84.2 Síndrome de Rett

- Desenvolvimento inicial aparentemente normal, seguido por perda total ou parcial das habilidades manuais adquiridas e da fala, acompanhada de uma desaceleração do crescimento do crânio.
- A doença evolui de forma previsível em quatro estágios.
- Estagnação precoce: inicia-se entre 6 e 18 meses e caracteriza-se por uma parada no desenvolvimento, uma desaceleração do crescimento do perímetro craniano (entre 5 e 48 meses), diminuição da interação social com consequente isolamento. Esse estágio tem duração de alguns meses.
- O segundo estágio, rapidamente destrutivo, inicia-se entre 1 e 3 anos de idade e tem duração de semanas ou meses. Uma rápida regressão psicomotora domina o quadro com grande severidade sintomática. Presença de choro imotivado, extrema irritabilidade, perda da fala, aparecimento dos movimentos estereotipados das mãos e dos membros superiores, alguns dos quais se podem dizer característicos, como o batimento das mãos cruzadas diante do peito ou o ranger de dentes. Hipotonia muscular com prejuízos no engatinhar, disfunções respiratórias e manifestação de crises convulsivas. Perdem interesses específicos com recusa sistemática do contato corporal e o apego excessivo a determinados objetos (análogo ao comportamento autista).
- O terceiro estágio (pseudoestacionário) se dá entre os 2 e 10 anos de idade, quando ocorre certa melhora de sinais e sintomas, como também do contato social. Os distúrbios motores são evidentes, há presença de ataxia e apraxia, espasticidade, escoliose, bruxismo, crises de perda de fôlego, aerofagia e expulsão forçada do ar ocorrem com frequência nessa fase.
- O quarto estágio (deterioração motora tardia) se inicia por volta dos 10 anos de idade, ocorrendo lenta progressão dos déficits motores com severa escoliose e déficit mental e presença de coreoatetose é comum nessa fase.

- Início entre 7 e 24 meses.
- Desaceleração do crescimento cefálico entre 5 e 48 meses.
- Desenvolvimento social e lúdico interrompido nos primeiros 2 ou 3 anos.

- Prejuízo mental grave.
- Perda dos movimentos voluntários das mãos, substituídos por movimentos estereotipados.
- Perda da fala adquirida anteriormente.
- Retardo psicomotor, ataxia.
- Falha de mastigação apropriada da comida.
- Falha em alcançar controle intestinal e vesical.
- Salivação excessiva e protrusão da língua.
- Convulsões se desenvolvem durante o início ou o meio da infância (94%).
- Respiração irregular.
- Escoliose.
- Hipotonia muscular inicial até espasticidade e rigidez.
- Fala severamente comprometida.

REFINAMENTO TÉCNICO

- Causa desconhecida.
- O DSM V retirou essa categoria do grupo que compõem o Transtorno do Espectro Autista. Entretanto, mantemos essa síndrome, assim como as demais, para efeito de método de registro diagnóstico como associação ao Transtorno do Espectro Autista.
- Descrito por Andréas Rett em 1966.
- No Brasil, identificada por Rosemberg et al. em 1986.
- Encefalopatia evolutiva ligada à mutação genética no MECP2, gene regulador no cromossomo X.
- Relato somente em meninas (1: 10.000).
- Desenvolvimento pré-natal e perinatal aparentemente normais.
- Perímetro cefálico normal ao nascer.
- Desenvolvimento psicomotor aparentemente normal durante os primeiros cinco meses de vida.
- Por volta dos 10 anos, inicia-se o quarto estágio (deterioração motora tardia) com progressão dos comprometimentos motores com escoliose e retardo mental. Frequente presença de coreoatetose e perda da deambulação. Crises epilépticas são comuns.
- Período de vida, em média, é de 20 anos de idade.
- 75 a 80% dos casos apresentam mutação no gene MECP2.

- NÃO É autismo infantil.
- NÃO É síndrome de Angelman.

- Critérios definidos pelo Rett Syndrome Diagnostic Criteria Work Group (1988).

F84.3 Síndrome de Heller

- Deterioração, ao longo de vários meses, das funções intelectuais, sociais e da linguagem.

- Início insidioso entre 3 e 4 anos.
- Regressão no nível de brincadeiras.
- Linguagem bastante alterada.
- Desinteresse pelo ambiente.
- Maneirismo, estereotipias.

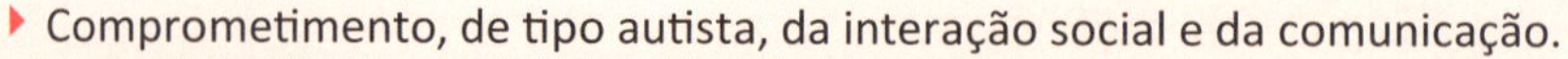

- Comprometimento, de tipo autista, da interação social e da comunicação.
- Sintomas afetivos – ansiedade, inquietação.

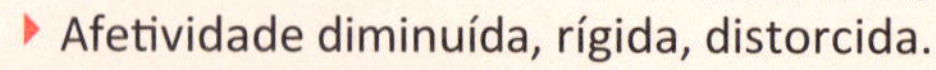

- Afetividade diminuída, rígida, distorcida.
- Distúrbios do apetite.
- Resistência à mudança.
- Perda do controle intestinal e vesical.
- Causa desconhecida.

- Síndrome de Heller é uma condição extremamente rara (estimativa de 1,7 por 10.000).
- Descrita por Heller em 1928 que a denominou *Dementia infantilis*.
- Indivíduos com um funcionamento global muito comprometido.
- Grande incidência de epilepsia como comorbidade.

- NÃO É autismo infantil.
- NÃO É síndrome de Rett.
- NÃO É mucopolissacaroidose San Filippo, transtorno metabólico.
- NÃO É encefalite por vírus.
- NÃO É TDAH comórbido.
- NÃO É transtorno de ansiedade ou transtorno bipolar.

F84.4 Transtorno de Hiperatividade Associado a Retardo Mental e Movimentos Estereotipados

- Combinação de hiperatividade grave inapropriada ao desenvolvimento, estereotipias motoras e retardo mental grave.

F84.5 Síndrome de Asperger

- Comprometimento qualitativo de interação social recíproca e estranhezas comportamentais, sem atrasos ou retardo global no desenvolvimento cognitivo ou da linguagem; entretanto, ocorrem dificuldades na comunicação social, surgindo na infância e persistindo à idade adulta.
- Alterações nas três áreas de desenvolvimento, relacionamento social, linguagem e comportamento repetitivo e/ou perseverativo com número limitado de interesses.

- Idade média do diagnóstico é de 7,2 anos
- Prejuízo acentuado no uso de múltiplos comportamentos não verbais, como contato visu direto, expressão fácil, posturas corporais e gestos para regular a interação social.
- Fracasso em desenvolver relacionamentos apropriados e adequados ao nível de seu desenvolvimento.
- Ausência de tentativa espontânea de compartilhar prazer, interesse ou realizações com outras pessoas.

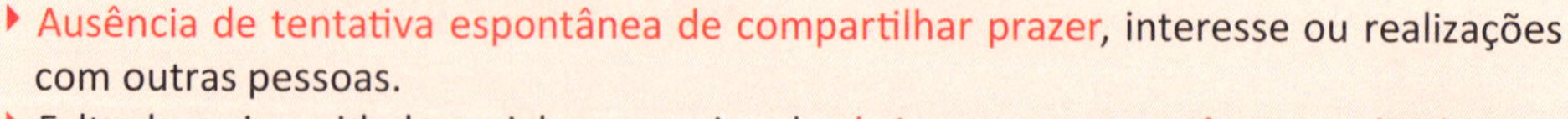

- Falta de reciprocidade social ou emocional e de interesse espontâneo em dividir experiências.
- Isolamento do convívio social.
- Padrões restritos, repetitivos ou estereotipados de comportamento, interesse e atividades.
- Não existe atraso geral clinicamente significativo na linguagem, no desenvolvimento de habilidades de autoajuda apropriadas à idade, no comportamento adaptativo e na curiosidade acerca do ambiente na infância.

- Em geral, o QI verbal é superior ao não verbal.
- Dificuldades em processar e expressar emoções (cegueira emocional) com comportamentos impróprios e não aceitáveis socialmente.
- Exaustão mental devido às dificuldades em expressar as emoções.
- Dificuldades para lidar com a autoconsciência.
- Desinteresse por mudanças e dificuldades para lidar com elas.
- Interpretação muito literal da linguagem e da fala formal.
- Ecolalia.
- Palilalia.
- Padrões de pensamento lógico/técnico extensivo.
- Intelectualidade preservada.
- Interesses mais frequentes por áreas intelectuais mais específicas.
- Pobre apreciação da trama social.

- Causa desconhecida.
- Predominantemente em meninos.
- Episódios psicóticos ocorrem no início da vida adulta.
- Em 1944, Hans Asperger, publicou sua tese de doutorado, relatando características de quatro crianças com aspectos idênticos às descritas por Leo Kanner.
- Em 1981, Lorna Wing traduziu o artigo de Hans Asperger e o publicou numa revista inglesa.
- A síndrome foi reconhecida no DSM-IV, na sua quarta edição, em 1994.
- O dia 18 de fevereiro é o Dia Internacional da Síndrome de Asperger (data de nascimento de Hans Asperger).
- A socialização do indivíduo com Asperger é menos comprometida que aquela dos indivíduos com autismo, embora seus padrões relacionais sejam deficitários e com marcantes dificuldades adaptativas.
- Interesses e preocupações são limitados com exclusividade, e adesão repetitiva a rotinas e rituais podem ser autoimpostos ou impostos por outros.
- Sua maior peculiaridade é o interesse obsessivo por uma área específica, apresentando, algumas vezes, habilidades especiais como hiperlexia ou memória por calendários.

FIQUE DE OLHO

- NÃO É transtorno esquizotípico.
- NÃO É autismo infantil – difícil diferenciação.
- NÃO É transtorno de vinculação na infância.
- NÃO É transtorno de personalidade anancástica.
- NÃO É psicopatia.
- NÃO É TOC.
- NÃO É síndrome de Tourette.

- O seu reconhecimento diagnóstico é importante por parte dos profissionais, nomeadamente dos professores e educadores, para a realização da prevenção no desenvolvimento psicológico.
- Pela diversidade sintomática, tende a ser um diagnóstico polêmico, devendo ser realizado por profissionais treinados e com experiência, pois existe o risco de erro e consequente discriminação. Alguns tendem a defender que a sintomatologia seria correspondente ao que se poderia chamar autismo de alta funcionalidade, ou mesmo equivalente ao transtorno de personalidade esquizoide.

TRANSTORNOS DA APRENDIZAGEM

- As crianças com transtornos da aprendizagem não adquirem certas habilidades ao longo do desenvolvimento infantil, o que acaba prejudicando o seu desempenh escolar. Dividem-se os transtornos em: transtornos da fala e da linguagem, transtornos da leitura escrita e transtornos da habilidade aritmética.

- Para um diagnóstico mais preciso, é importante diferenciar os transtornos das variá veis normais nas realizações escolares e considerar que, os transtornos persistam p pelo menos seis meses.
- A prevalência dos Trantornos de Aprendizagem é de 5 a 15% em crianças com idade escolar.
- Avaliar as especificidades da criança, como características individuais e circunstân cias familiares e escolares.
- A competência cognitiva deve estar adequada para a idade.
- Não deve existir lesão cerebral.
- As habilidades devem estar abaixo do esperado para a idade escolar.
- As dificuldades devem estar presentes desde os primeiros anos escolares.
- Comorbidades associadas:
  - 19% (TDAH);
  - 10% (Ansiedade);
  - 7% (Transtorno de Oposição Desafiante).
- TDE (Teste de Desempenho Escolar).

- NÃO É retardo mental.
- NÃO É conflito emocional.

F80 TRANSTORNOS ESPECÍFICOS DO DESENVOLVIMENTO DA FALA E DA LINGUAGEM

- Também denominada disfasia.
- Apresenta um comprometimento precoce na aquisição da fala e da linguagem, que provoca múltiplos problemas, tais como dificuldades de leitura e de soletração, anormalidades em relacionamentos interpessoais e transtornos emocionais e de comportamento.
- São divididos em categorias: transtornos da articulação da fala, transtorno da lingua gem expressiva, transtorno da linguagem receptiva, afasia adquirida e outros transtornos.
- Não se limitam ao déficit para o desenvolvimento linguístico.

- Início tardio do balbuciar (após 10 meses).
- Mudez até os 18 meses.
- Incapacidade de juntar 2 palavras até 2 anos.
- Ausência de imitação ou simbolismo lúdico até 2 anos.
- Não formação de sentenças.
- Discurso incompreensível até 3 anos.
- Dificuldade de interação social.

- Agressividade.
- Níveis de gravidade e previsões:
  - Leve/Moderado: satisfatório com estratégias de adaptação;
  - Grave: grande dificuldade na adaptação, com maior utilização de variáveis estratégicas
- Incapacidade na formação de frases com o uso de regras gramaticais.
- Prejuízo na conversação.
- Etiologia multifatorial (ambiental e educacional); contudo, exames por ressonância magnética propõem uma assimetria reduzida entre o lado esquerdo e o lado direito do cérebro nas regiões temporais perisilvianas e planas.
- Para um diagnóstico mais preciso é importante avaliar quatro critérios principais: gravidade, curso, padrão (qualidade de desvio) e problemas associados.
- O quoeficiente intelectual superior não impede a apresentação dos transtornos específicos da aprendizagem.
- As pontuações padrões da linguagem expressiva, devem ficar abaixo das aferições nos testes de QI não verbal.
- A maioria das crianças com atraso na obtenção da linguagem, possivelmente, resgata o tempo e as perdas que passaram no transcorrer dos anos pré-escolares.
- Prognóstico desfavorável, quando associados a transtornos do humor ou problemas comportamentais disruptivos.

- NÃO É desenvolvimento lento da fala.
- NÃO É retardo mental.
- NÃO É surdez grave.
- NÃO É anormalidade neurológica específica.
- NÃO É transtorno do espectro autista.
- NÃO É déficit visual ou auditivo.

F80.0 TRANSTORNO DE ARTICULAÇÃO DA FALA

- Também denominado dislalia.
- O uso dos sons da fala (fonemas) está abaixo do nível apropriado para a idade mental, interferindo no rendimento escolar ou na comunicação social.

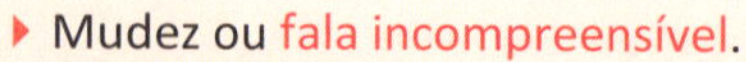

- Mudez ou fala incompreensível.
- Frequentes erros de articulação da fala.
- Omissões (o mais grave), substituições de sons (impressão da fala do bebê, p. ex.: uso do "t" em vez do "k"), inclusões, distorções, disartria (desarticulações pela ausência de coordenação dos músculos da fala), ou dispraxia (obstáculos para planeja e executar a fala).
- Linguagem tatibitate – como a fala de um bebê.
- Embotamento emocional.
- Inconsistência na ocorrência de sons – representados por letra ou sílabas.
- Mais grave quando associado a retardo mental, déficit sensorial ou privação ar biental.
- Atinge-se o diagnóstico, equiparando as habilidades da criança com o nível esperad de aptidões de seus semelhantes

REFINAMENTO TÉCNICO

- Início precoce – casos graves do 1 aos 3 anos.
- 10% em crianças com menos de 8 anos.
- 5% de crianças com 8 anos ou mais.
- 2% a 3% das crianças de 6 e 7 anos têm o transtorno.
- 0,5% dos adolescentes com 17 anos, apresentam o transtorno.
- 3 vezes mais comum entre meninos.
- 1/3 das crianças apresenta transtornos psiquiátricos associados.
- As dislalias podem ser orgânicas (defeitos da língua, nos lábios, da abóbada palatina ou de qualquer outro elemento do aparelho fonador) ou funcionais (sem alterações orgânicas no aparelho fonador).
- Antes conhecido por transtorno fonológico.
- Variabilidade de leve a grave.
- Os transtornos de articulação da fala são mais comuns do que aqueles de ordem estrutural ou neurológica.
- Maior incidência em parentes de primeiro grau.
- Mais da metade das crianças com o transtorno tem algum problema com a linguagem.
- Apresentam concomitância com anurese.
- Na grande maioria, o transtorno é superado por volta da 3º série escolar.
- Causas envolvendo problemas perinatais, aspectos genéticos e prejuízos no processamento auditivo. Os fatores ambientais surgem em menor proporção.

LABORATÓRIO

- Exame neurológico clássico e evolutivo.
- Exame clínico da estrutura oral.
- Exame audiométrico.
- Eletroencefalograma.
- Teste de avaliação da linguagem – Denver II.
- Testes psicológicos.

- NÃO É transtorno de articulação decorrente de afasia ou apraxia.
- NÃO É transtorno de linguagem expressiva ou receptiva.
- NÃO É disartria.
- NÃO É fenda palatina.
- NÃO É surdez.
- NÃO É transtorno do som da fala, decorrente a origem neurológica.

F80.1 TRANSTORNO DE LINGUAGEM EXPRESSIVA

- Também chamado de dispraxia verbal.
- Comprometimento na expressão das frases e sentenças, sem alterações na compreensão da linguagem, sem prejuízo dos sons das palavras.

- Aparentam serem mais novas que a idade original.
- Fazem uso de palavras do tipo: "treco"; "coisa".
- Desenvolvimento restrito do vocabulário.
- Uso incorreto dos tempos verbais.
- Estrutura imatura das sentenças.
- Associam palavras em frases simples (em torno dos 2 anos).
- Em geral, aos 3 anos de idade, conseguem falar de forma clara; distinguem uma cor, descrevendo o que vêem.
- Aos 4 anos, identificam quatro cores e conseguem falar de forma mais clara, mas em frases curtas.
- Presença de comportamento destrutivo e/ou hiperatividade, desatenção, chupar dedos, ataques de raiva, enurese noturna, baixa autoestima.
- A competência na clareza do vocabulário, estará também associada com a qualidade e quantidade das reações/trocas verbais com seus cuidadores/familiares.

- Etiologia multifatorial.
- 3% a 5% em crianças de idade escolar (11 anos).
- 20% dos casos ocorrem antes dos 4 anos.
- 2 a 3 vezes mais comum em meninos.
- Quando em casos graves, o transtorno é perceptível em torno dos 18 meses de idade.
- Rotineiramente, apresentam prejuízo na linguagem receptiva.
- Pode ser secundária, proveniente de algum trauma ou transtorno neurológico.
- História familiar de transtorno de articulação da fala e outros transtornos de comunicação aumentam a prevalência.
- Prognóstico favorável. Em geral, os problemas na linguagem tendem a diminuir (6% das crianças entre 5 e 11 anos)

- Exame neurológico clássico e evolutivo.
- Testes padronizados de expressão verbal.
- Testes de QI não verbais.
- Audiograma (para crianças muito pequenas).
- Wechesler Intelligence Scale for Children III (WISC III).

- NÃO É afasia adquirida com epilepsia.
- NÃO É mutismo eletivo.
- NÃO É transtorno do espectro autista.
- NÃO É agnosia verbal auditiva.

F80.2 TRANSTORNO DE LINGUAGEM RECEPTIVA

- Também denominado agnosia.
- A compreensão da linguagem pela criança está abaixo do nível apropriado para sua idade mental, comprometendo a produção de sons da palavra.

- Incapacidade de identificar alguns objetos (18 meses).
- Falha em responder nomes familiares (1 ano).
- Falha em seguir instruções simples e de rotina (2 anos).
- Incapacidade de processar símbolos visuais (significado de uma figura).
- Perturbações sociais, emocionais e comportamentais.
- Hiperatividade, isolamento dos colegas, timidez excessiva.

- Causa desconhecida.
- 3% a 5% das crianças são atingidas.
- Comum entre meninos.
- Início antes dos 4 anos.
- Forma grave aos 2 anos.
- Tende a ter pior prognóstico, quando associado aos transtornos mistos da linguagem receptiva-expressiva.

- Exame neurológico clássico e evolutivo.
- Exame clínico da estrutura oral.
- Exame auditivo.
- Eletroencefalograma.
- Testes psicológicos.

- NÃO É afasia adquirida com epilepsia.
- NÃO É autismo.
- NÃO É mutismo eletivo.
- NÃO É atraso da linguagem decorrente de surdez.
- NÃO É disfasia e afasia.
- NÃO É retardo mental.

F80.3 AFASIA ADQUIRIDA COM EPILEPSIA SÍNDROME DE LANDAU-KLEFFNER

- Perda: caracteriza-se por um distúrbio em que a criança já apresentou um processo normal do desenvolvimento da fala e perde a capacidade da linguagem receptiva e expressiva, com manutenção da inteligência global.

- Início: acompanhado por anormalidades paroxísticas no EEG (lobos temporais, em geral bilateral, com perturbação mais difusa) e por crises epiléticas.
- É frequente a perda abrupta da linguagem (dias ou semanas).

- Início entre 3 e 7 anos.
- Em 25% dos casos, a perda da linguagem ocorre gradualmente, durante um período de alguns meses.
- Possibilidade de um processo encefálico inflamatório.
- Comprometimento profundo da linguagem receptiva.
- 2/3 dos diagnósticos persistem de defeitos mais ou menos graves na percepção da linguagem.

- NÃO É afasia decorrente de traumatismo, tumor ou outros processos mórbidos cerebrais conhecidos.
- NÃO É transtorno espectro autista.
- NÃO É devido a desajustes desintegrativos da infância.

F80.8 OUTROS TRANSTORNOS DE DESENVOLVIMENTO DA FALA E DA LINGUAGEM

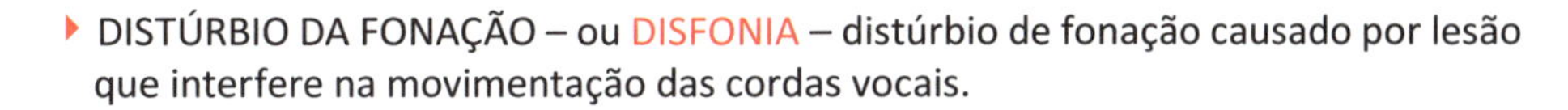

- DISTÚRBIO DA FONAÇÃO – ou DISFONIA – distúrbio de fonação causado por lesão que interfere na movimentação das cordas vocais.

- DISTÚRBIO DA ARTICULAÇÃO DA FALA ou DISARTRIA – dificuldades na precisão dos movimentos da boca causadas por um comprometimento de nervos cranianos que resultam em distúrbios articulatórios e uma fala caracteristicamente explosiva, com interrupções bruscas.

- DISTÚRBIO DO RITMO – alterações da fala em relação à velocidade, tais como gagueira (dificuldade na automatização da fala), taquilalia (velocidade elevada da fala) e bradilalia (velocidade baixa da fala). A gagueira fisiológica é comum por volta do terceiro ano de vida.

- RETARDO NO DESENVOLVIMENTO DA FALA – atraso na aquisição da fala. Pode ser da fala em si ou um atraso no desenvolvimento global.

- AFASIAS – transtornos na comunicação por consequência de uma lesão na corticalidade frontal, após a aquisição da linguagem.

F81 TRANSTORNOS ESPECÍFICOS DAS HABILIDADES ESCOLARES

- Comprometimento específico das habilidades escolares (leitura, expressão escrita, matemática) desde os estágios iniciais do desenvolvimento, originando anormalidades no processo cognitivo, com rendimento abaixo do esperado para a idade, para a escolarização e para o nível de inteligência. Derivados de possível disfunção biológic

- Em geral, acompanham outras síndromes clínicas – transtorno de déficit de atenção/hiperatividade, transtorno depressivo maior, transtorno distímico, transtorno desafiador opositivo ou transtornos de conduta.
- Podem estar associados a transtornos do desenvolvimento de coordenação.
- Comportamento de baixa autoestima.
- Déficit nas habilidades sociais.
- Evasão escolar em 40% dos casos.

- 5% dos estudantes são acometidos por esses transtornos.
- Mais comuns em meninos.
- Traços desses transtornos podem continuar durante a adolescência e a vida adulta.

- Testes padronizados de avaliação escolar.
- Teste de QI.
- Audiometria.
- Avaliação oftalmológica.

- NÃO É paralisia cerebral.
- NÃO É déficit neurológico grosseiro.
- NÃO É problema visual ou auditivo corrigido.
- NÃO É ausência muito prolongada da escola sem ensinamentos em casa.
- NÃO É retardo mental.
- NÃO É educação grosseiramente inadequada.

F81.0 TRANSTORNO DE LEITURA

- Também denominado dislexia.
- Comprometimento da capacidade de reconhecer as palavras impressas, inexata, lenta e com esforço; ausência de déficits de inteligência ou de memória significativos.

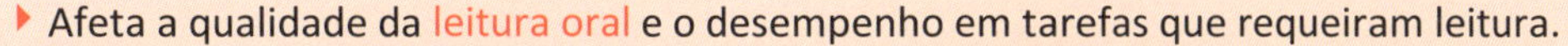

DESCOBRINDO

- Afeta a qualidade da leitura oral e o desempenho em tarefas que requeiram leitura.
- História de transtorno no desenvolvimento da fala e da linguagem.
- Dificuldade na discriminação de sons.
- Problemas para a compreensão de instruções e histórias.
- Interfere no sucesso escolar ou nas atividades da vida diária que envolvem leitura.
- Dificuldade de recordação, evocação e sequência de letras e palavras impressas.
- Habilidade de escrita ortográfica e produção de texto podem estar comprometidas.
- Variações do meio, podem gerar um falso positivo para o diagnóstico.
- Embaraço na compreensão daquilo que é lido.

- Presente desde os primeiros anos escolares.
- Mais evidente em torno dos 6 anos.
- Causa desconhecida.
- Quatro vezes mais frequente em meninos.
- Troca de letras e inversão silábica.
- Lenta evolução da velocidade média de leitura.
- Confusão de conceitos – alto, baixo, preto, branco.
- Transtorno grave – associado a problemas psiquiátricos.
- Histórico familiar de transtorno de aprendizagem.
- Pode apresentar comprometimento na noção de esquema corporal.
- Presente até a vida adulta – tendência a atenuar.
- Geralmente existe a presença de comorbidade neuropsicólogia (TDAH, Distúrbios de memória).

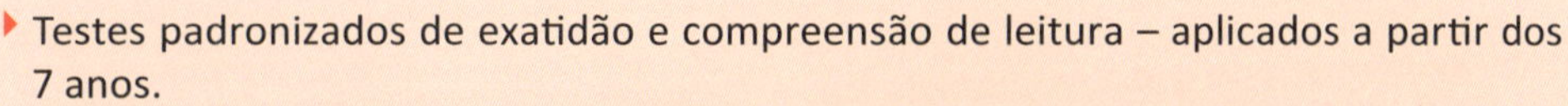

- Testes padronizados de exatidão e compreensão de leitura – aplicados a partir dos 7 anos.
- Testes de diagnóstico psicopedagógico.
- Testes de ortografia.
- Bateria projetiva de avaliação.
- Avaliação oftalmológica – teste de acuidade visual.
- Avaliação auditiva.
- Eletroencefalograma.
- Exame neurológico evolutivo.
- Teste de Desempenho Escolar (TDE).

- NÃO É alexia nem dislexia adquiridas (em decorrência de alguma lesão).
- NÃO É transtorno do soletrar não associado à dificuldade de leitura.

- Estabelecer horários para refeições, sono, deveres de casa e recreação.

F81.1 TRANSTORNO ESPECÍFICO DE SOLETRAR

- Comprometimento significativo da capacidade de soletrar oralmente e de escrever corretamente as palavras por extenso.

- Dificuldade na discriminação de sons.
- Problemas para compreensão de instruções e histórias.
- Leitura caracterizada por omissões, distorções, substituições de palavras.
- Lentidão na leitura.
- Capacidade de escrita e produção de texto prejudicadas.
- Geralmente associado ao transtorno de leitura.

- Presente desde os primeiros anos escolares.
- Melhor diagnóstico no 1º ou no 2º ano escolar.
- Mais evidente em torno dos 6 anos.
- Histórico familiar de transtorno de aprendizagem.
- Pode apresentar comprometimento na noção de esquema corporal.
- Presente até a vida adulta – tendência a atenuar.

- Teste padronizado de soletração.
- Testes padronizados de exatidão e compreensão de leitura – aplicados a partir d 7 anos.
- Testes de diagnóstico psicopedagógico.
- Testes de ortografia.
- Bateria projetiva de avaliação.
- Avaliação oftalmológica – teste de acuidade visual.
- Avaliação auditiva.
- Eletroencefalograma.
- Exame neurológico evolutivo.

- NÃO É transtorno adquirido do soletrar.

F81.2 TRANSTORNO DE HABILIDADES ARITMÉTICAS

- Também conhecido como discalculia.
- Comprometimento específico no domínio de habilidades computacionais aritmética básicas, como adição, subtração, multiplicação e divisão.

- Déficit nas habilidades visuoespaciais e visuoperceptivas.
- Falha em entender os conceitos subjacentes e certas operações aritméticas.
- Falha em entendimento de termos ou sinais matemáticos.
- Falha em reconhecer símbolos numéricos.
- Dificuldade em alinhar números apropriadamente, ou em inserir pontos decimais ou símbolos durante os cálculos.
- Geralmente associado ao transtorno de leitura.

- Causa desconhecida.
- Início aos 8 anos.
- Acomete 1% das crianças em idade escolar.
- Problemas de ortografia, déficit de memória e atenção e problemas emocionais ou comportamentais podem estar presentes.

- Testes padronizados de aritmética.
- Teste de QI.
- Teste de Desempenho Escolar (TDE).

- NÃO É transtorno aritmético adquirido (acalculia).

F81.3 TRANSTORNO MISTO DE HABILIDADES ESCOLARES

- Comprometimento nos quais existe tanto uma alteração significativa do cálculo quanto da leitura ou da ortografia.

- NÃO É transtorno específico de leitura.
- NÃO É transtorno específico de soletração.
- NÃO É transtorno específico de habilidades aritméticas.

F81.8 OUTROS TRANSTORNOS DO DESENVOLVIMENTO DAS HABILIDADES ESCOLARES

- TRANSTORNO DE EXPRESSÃO ESCRITA – comprometimento específico no domínio de habilidades de escrita.
  - Dificuldade na composição de textos – evidenciado por erros de gramaticais, ortográficos, de pontuação e organização dos parágrafos (p. ex.: omitir ou substituir vogais e consoantes).
  - Caligrafia ruim e expressão escrita dos pensamentos sem clareza.
  - Falhas ao fazer cópias de textos.
  - Falhas no desenvolvimento de atividades que incluem escrita.
  - Causa desconhecida.
  - Geralmente diagnosticado já na primeira série escolar.
  - Acredita-se que afeta de 3 a 10% das crianças em idade escolar.
  - Raramente não está associado a outro transtorno de aprendizagem.

F82 TRANSTORNOS DAS HABILIDADES MOTORAS

- Comprometimento da coordenação motora fina ou grosseira, associado a uma dif culdade em tarefas cognitivas visuoespaciais.
- São vulgarmente chamadas de "atrapalhadas" ou "desajeitadas" e, no meio clínic dispraxia, *clumsy* (desajeitada) ou DAMP (Distúrbio de Atenção, Motor e Percepção)

- Início precoce (5% a 6% em idade escolar).
- Atrasos no sentar, engatinhar, caminhar, abotoar camisas e fechar o zíper de calças.
- Dificuldade em amarrar os cordões dos sapatos, abotoar e desabotoar, atirar e pega bolas (antes dos 2 anos).
- Lentidão para aprender a correr, pular, subir e descer escadas (2 a 4 anos).
- Atrasos na articulação da fala (2 a 4 anos).
- Inabilidades em quebra-cabeças, brinquedos estruturais, desenho, compreensão d mapas (acima de 5 anos).
- Imaturidade marcante no desenvolvimento neurológico – movimentos coreiform de membros ou movimentos em espelho.
- Dificuldades escolares, problemas sociais, emocionais e de comportamento associa dos (acima de 5 anos).

REFINAMENTO TÉCNICO

- A variabilidade do desenvolvimento da habilidade motora está ligada ao significa tivo componente genético somada aos infinitos fatores de interação com o mei ambiente.
- Áreas deficitárias que colaboram com o transtorno: controle previsível pobre dos movimentos motores; prejuízos em coordenação e ritmo e prejuízos em funções executivas (memória de trabalho, inibição e atenção).
- É necessária a investigação criteriosa dos antecedentes presentes no momento d parto (peso, idade gestacional, presença de anóxia perinatal), de seu desenvolvimen nas primeiras semanas até o início da idade escolar.
- Existe uma tendência a negligenciar a evolução do transtorno atribuindo-lhe um melhora espontânea numa visão otimista que se traduz, muitas vezes, na falta d procura de esclarecimento e de ajuda profissional.
- Associação com TDAH ou dislexia em 50% dos casos.
- Proporção de dois homens para uma mulher.
- Podem persistir na adolescência e vida adulta, caracterizando prejuízos significativo na qualidade de vida.

- Testes padronizados de coordenação fina e grosseira. São chamados testes descritivos com listas de habilidades organizadas de maneira cronológica.
- Teste de avaliação motora (no Brasil, Rosa Neto).
- Escala Bayley de desenvolvimento infantil.
- Teste de desenvolvimento de Denver II.
- Teste de desenvolvimento motor de Bruininks-Oseretsky.
- Teste de proficiência motora – BOTMP.
- Bateria de testes de habilidades dos movimentos de Frostig.
- Teste visuomotor de Bender.
- Teste de Integração Visuomotora.
- Teste perceptual-motor de KeParth.
- Testes neurológicos: Exame Neurológico Rápido Quick/QNST, Avaliação Neurológica Infantil.

- NÃO É paralisia cerebral.
- NÃO É distrofia muscular.
- NÃO É transtorno espectro autista.
- NÃO É retardo mental.
- NÃO É condição médica geral.

- Em presença de retardo mental, as dificuldades motoras se acentuam.

F83 TRANSTORNOS ESPECÍFICOS MISTOS DO DESENVOLVIMENTO

- Classe residual de transtornos, em que existem ao mesmo tempo sinais de um transtorno específico do desenvolvimento da fala e da linguagem, das habilidades escolares, e das funções motoras; contudo, nenhum desses elementos predomina o suficiente para estabelecer o diagnóstico principal.
- Acompanhados, comumente, mas não sempre, de um certo grau de alteração das funções cognitivas.

F90 TRANSTORNOS HIPERCINÉTICOS

F90.0 TRANSTORNO DO DÉFICIT DE ATENÇÃO COM HIPERATIVIDADE (TDAH)

- Trata-se de um distúrbio neurobiológico que se caracteriza por um padrão persistente de desatenção, hiperatividade, impulsividade, de forma isolada ou coexistente desde a infância, e inapropiado à etapa do desenvolvimento.
- Há pelo menos três tipos de TDAH.
  - TDAH com predomínio de sintomas de desatenção, mais frequente em meninas podendo apresentar conjuntamente uma taxa mais elevada de prejuízo acadêmico.
  - TDAH com predomínio de sintomas de hiperatividade e impulsividade, destacando a agressividade, impulsividade, impopularidade e altas taxas de rejeição pelos colegas
  - TDAH combinado, com maior prejuízo no funcionamento global, quando comparado aos dois outros grupos.

- HIPERATIVIDADE – Caracteriza-se por excesso de atividade física, sentimento de inquietude, com agitação e fala intensa, correria, mãos e pés "sem parada". As crianças são muito mais ativas que a média, intrometem-se na conversa dos outros dando respostas precipitadas. Agem sem pensar, com impulsividade, pela dificuldade de adiar uma ação ou resposta, mesmo tendo consequências negativas. Podem perturbar não só o ambiente escolar pelo excesso de impulsividade, como também o social e o familiar.
- DESATENÇÃO – Falta de capacidade da criança em se concentrar e prestar atenção ao que está sendo apresentado, iniciar uma atividade e manter-se na mesma até o final, pois se distrai com qualquer outro estímulo e passa de um estímulo para outro até mesmo irrelevante; faz o mesmo com as tarefas, deixando-as incompletas em sua maior parte. Perda rápida do interesse por brinquedos e situações lúdicas.

Também apresenta uma dificuldade em memorizar compromissos, encontros marcados e locais onde deixou objetos, o que leva a considerá-la desorganizada. Causa a impressão de não escutar as pessoas que lhe falam. Superestima o tempo em relação às tarefas e depois as abandona.

- Normalmente a criança com TDAH apresenta uma história de vida desde a idade pré-escolar com a presença de sintomas ou, pelo menos, um período de vários meses de sintomatologia intensa.
- Incordenação motora e retardo na aquisição de movimentos motores tardios (como amarrar os sapatos).
- Nervosismo.
- Sono irrequieto.
- Dificuldade na aprendizagem escolar.
- Retardo da linguagem.
- Hipoacusia.

COMORBIDADES

- Sinônimos: hipercinético, superativo, hiperativo, disfunção cerebral mínima. É também chamado de DDA, THDA, TDAHI, ADD, ADHD ou DDAH.
- 5% da população escolar. 2,5% dos adultos.
- O mais frequente dos transtornos de infância.
- Geralmente se inicia antes dos 7 anos.
- Pico de aparecimento de 8% entre os 6 e 9 anos, com cifras menores para pré-escolares e adolescentes, sendo a prevalência diferente entre os sexos (9% entre meninos e 3,3% entre meninas).
- Como os transtornos de aprendizagem (dislexia, discalculia, dificuldades na matemática e ortografia) são frequentes, é necessária a cuidadosa investigação para discriminá-los das disfunções moduladoras do TDAH.
- Prejuízos no desenvolvimento da fala com aquisição mais lenta e presença de trocas, omissões e distorções fonêmicas, além de taquilalia.
- Primeira descrição em um livro de contos infantis de Heinrich Hoffman, de 1846.
- Primeira publicação em 1902 por um pediatra, George Still, no *The Lancet,* descrevendo crianças com problemas de atenção e agitação aos quais denominou déficit no "controle moral".
- Charles Bradly (1937) levantou uma hipótese biológica do distúrbio através da descoberta acidental de que anfetaminas melhoravam a concentração dessas crianças.
- Etiologia desconhecida, porém notória predisposição genética, com hipofunção dopaminérgica (genes para o transportador de dopamina e os receptores D4 e D5); foram descobertos genes envolvidos nas vias serotoninérgicas (transportador e receptor 1B), além do gene para a proteína 25 kDa associada à formação de vesículas intracelulares – SNAP-25). Herediteriedade em aproximadamente 75%.

- Fatores ambientais de risco: nascimento prematuro, baixo peso ao nascimento e us de tabaco na gestação.
- Subtipos de desatenção: Atenção dirigida para ação, Atenção Executiva, Sub-sistem controle MOE, Atenção alternada, Atenção seletiva e Subsistema controle-campos visuais.
- A condição central no TDAH, é o prejuízo nas funções executivas.

LABORATÓRIO

- PET – disfunção no córtex cerebral, gânglios da base especialmente caudados, pos velmente relacionados aos desvios dos receptores de dopamina.
- REM – corpo caloso posterior menor.
- EGG – hipoexcitação (respostas diminuídas a estímulos).
- Alterações neuroendócrinas.
- Hipersecreção de hormônios de crescimento em resposta a um estimulante.
- Insulina desviante em teste de açúcar.
- Hipoglicemia.
- Variação de cortisol diurno diminuída.
- Avaliação neuropsicológica.
- Hipofunção do lobo frontal direito.
- Entrevista semiestruturada com os pais e depois com os pais e a criança.
- Informação estruturada.
- TAVIS-4 (Teste de Atenção Visual).
- Exame Clínico Neurológico.
- Aplicação de testes com os pais: CBCL (*Child Behavior Checklist for ages 6-18*). (*CBCL*/6-18) (i); Escala SNAP-IV (auxiliar psicopedagógico no diagnóstico); IFE.
- Aplicação de testes com professor: SNAP-IV; IFE; Relatório de aula.
- Teste de Desempenho Escolar (TDE).

- NÃO É distúrbio de humor – tende a ser episódico.
- NÃO É distúrbio de ansiedade – concentração prejudicada, mas não por distúrbio c atenção.
- NÃO É transtorno do espectro autista.
- NÃO É retardo mental.
- NÃO É flutuação de sintomatologia com períodos assintomáticos.
- NÃO É transtorno de oposição desafiante.
- NÃO É transtorno explosivo intermitente.
- NÃO É transtorno por uso de substâncias.
- NÃO É transtorno específico da aprendizagem.
- NÃO É outro transtorno do neurodesenvolvimento.

- Distúrbios motores (47,8%), depressão (15% a 20%), transtornos de ansiedade (em torno de 25%), de desafio-oposição, transtornos de aprendizagem (10% a 25%), humor, além do uso de álcool e cocaína (9% a 40%).
- A hiperatividade e a sua impulsividade podem levar a brigas e agressividade.
- Frequente baixa autoestima e interação social.

F90.1 TRANSTORNO DE CONDUTA HIPERCINÉTICA

- Quando sintomas de déficit de atenção – hiperatividade (TDAH) – estão associados a comportamento antissocial ou agressivo.

DESCOBRINDO

- Início precoce.
- Nos primeiros anos de vida, os bebês podem apresentar baixo peso, irritação constante, dormir pouco, ter o sono agitado, ficar em estado hiperalerta e movimentar demais os membros superiores e inferiores (sintoma alvo).
- Andar desajeitado, tombos frequentes.
- Distúrbios de atenção e concentração (sintomas primários).
- Destruição dos brinquedos.
- Perda rápida do interesse e mudança de atividades frequentes.
- Alterações fonoarticulatórias.
- Quando começa a andar, a hiperatividade se intensifica, e a criança pode se colocar em situações de perigo.
- Forte impulsividade.
- Dos 4 aos 7 anos, a sintomatologia clássica da conduta hipercinética já está bastante presente e desenvolvida.

TRANSTORNOS DA COMUNICAÇÃO

F94.0 MUTISMO SELETIVO

- Recusa severa e contínua de falar em situações sociais (fora do círculo familiar, incluindo a escola). É um transtorno de ansiedade fóbica, independentemente das habilidades de compreender a língua falada e de falar durante, pelo menos, um mê

- Fracasso consistente para falar em situações sociais específicas, apesar de se expres verbalmente em outras situações (geralmente em casa e com familiares).
- Interfere nas atividades educacionais da criança, menos em tarefas individuais e mais nas atividades em grupo.
- É necessária a investigação de alguma situação traumática que tenha iniciado transtorno, mas não é necessária a sua presença.

- O DSM V o denominou Transtorno do Funcionamento Social com início especificamente durante a infância ou a adolescência.
- Foi identificado, pela primeira vez, em 1877, por Kussmaul – afasia voluntária.
- Em 1934, Tramer usou o termo mutismo eletivo.
- No DSM-IV, é usado o termo "eletivo", enfatizando o fracasso de falar e não a intenção de não falar.
- Em geral, o diagnóstico é feito no maternal ou na pré-escola.
- É transtorno raro e sem etiologia definida.
- O fracasso para falar não se deve à falta de conhecimento do idioma falado requeri na situação social

- NÃO É gagueira.
- NÃO É psicose.
- NÃO É autismo.
- NÃO É deficiência auditiva.
- NÃO É falta de conhecimento do idioma falado na situação.

- Diagnóstico tardio com prejuízos escolares significativos.
- Vitimas de brigas e *bullying* na escola.
- Pode ser um preditor de fobia social grave.

F94.1 TRANSTORNO REATIVO DE VINCULAÇÃO

- Transtorno em bebês e crianças pequenas, caracterizado por anormalidades persistentes no padrão de relacionamento social da criança, com perturbação emocional e reatividade a mudanças em circunstâncias ambientais.

- Antes dos 5 anos, evidencia-se uma das seguintes situações:
  • Fracasso persistente em iniciar ou responder a maior parte das interações sociais. Manifesta-se por respostas excessivamente inibidas, hipervigilantes, ambivalentes, contraditórias e resistentes ao encorajamento (tipo inibido).
  • Vinculações difusas manifestas por sociabilidade indiscriminada e inadequada. Existe uma falta de seletividade na escolha das figuras de vinculação (tipo desinibido).

- Sua etiologia é a privação materna, evidenciada por pelo menos um dos seguintes critérios:
  • Negligência persistente em relação às necessidades emocionais básicas das crianças, de conforto, estimulação, afeto.
  • Negligência e persistência quanto às necessidades físicas básicas da criança.
  • Repetidas mudanças dos responsáveis primários, impedindo a formação de vínculos estáveis.

- NÃO É retardo mental.
- NÃO É transtorno invasivo do desenvolvimento.

- Mudanças frequentes de pais adotivos, hospitalizações prolongadas e orfanatos.

F94.2 TRANSTORNO DA VINCULAÇÃO COM DESINIBIÇÃO

- Comportamento de chamar atenção e indiscriminadamente amigável por volta da idade de 4 anos, muito comum em crianças criadas em instituições desde cedo (síndrome institucional e psicopatia por carência afetiva).

- NÃO É síndrome de Asperger.
- NÃO É hospitalismo em criança.
- NÃO É transtorno hipercinético.
- NÃO É transtorno reativo de vínculo na infância.

F98.5 TRANSTORNO DA FLUÊNCIA COM INÍCIO NA INFÂNCIA (GAGUEIRA

- Conhecida também por tartamudez.
- Fala interrompida com sons repetidos e inibidos, hesitações ou pausas, podendo h ver movimento dos olhos, caretas e substituições de palavras para evitar as que sã problemáticas.

- Recorrência de palavras monossilábicas (p. ex.: “Eu-eu-eu-eu vejo”).
- Prejuízo acentuado na fluência da fala (extensões sonoras das consoantes e vogais).
- Grandes interferências na vida da pessoa, podendo estigmatizar.

REFINAMENTO TÉCNICO

- Palavras produzidas com grande tensão física.
- A desordem, em geral, causa ansiedade em relação à fala e suas limitações.
- As quatro fases do desenvolvimento do transtorno: primeira fase: durante o período pré-escolar (dificuldades episódicas); segunda fase: durante os anos do ensino fundamental (tende a ser mais crônico); terceira fase: após 8 anos de idade, percorrendo até a vida adulta (surge e desaparece por reações, p. ex.: falar com pessoas estranhas) e quarta fase: final da adolescência e vida adulta.
- Início entre 2 e 7 anos, geralmente gradual.

- Início após os 10 anos de idade é raro.
- 80% dos casos se recuperam; e, em 60% dos casos, a recuperação é maior em meninas e costuma ocorrer ocorre antes dos 16 anos; os meninos parecem ter um padrão de gagueira mais complexo do que as meninas.
- Os gagos tendem a ter transtornos múltiplos, dentre os quais o transtorno fonológico da linguagem expressiva e misto da linguagem receptivo-expressiva, e TDAH.

- NÃO É fala desordenada (taquifemia).
- NÃO É transtorno neurológico.
- NÃO É transtorno obsessivo-compulsivo.
- NÃO É transtorno de tique.
- NÃO É linguagem precipitada.

F98.6 FALA DESORDENADA (TAQUIFEMIA)

- Rápida velocidade da fala com quebra na fluência, sem repetição ou hesitação, ocasionando redução na inteligibilidade da mesma.

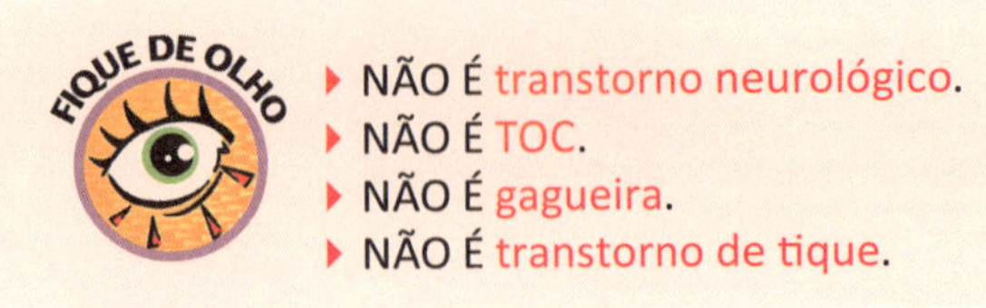

- NÃO É transtorno neurológico.
- NÃO É TOC.
- NÃO É gagueira.
- NÃO É transtorno de tique.

F98.8 OUTROS TRANSTORNOS COMPORTAMENTAIS E EMOCIONAIS ESPECIFICADOS COM INÍCIO HABITUALMENTE NA INFÂNCIA OU ADOLESCÊNCIA

- Rebaixamento de atenção, com ausência de hiperatividade.

- Colocar dedos no nariz.
- Roeção de unha (onicofagia).
- Sucção do dedo (polegar).
- Exacerbação de masturbação.

F91 TRANSTORNOS DE CONDUTA E EMOÇÕES

F91 TRANSTORNO DE CONDUTA

- Padrão persistente de conduta antissocial de crianças e adolescentes (violações dos direitos ou normas), agressividade e comportamento desafiador persistente, com fracasso no aprendizado de comportamentos alternados.
- Para um diagnóstico preciso, é necessário verificar se os comportamentos inadequados ocorrem isoladamente ou pertencem a síndromes.

- Irritáveis e impulsivos, não apresentam empatia ou remorso.
- Agressão a pessoas e animais, com lutas e castigos cruéis.
- Roubos com ou sem confrontação com a vítima, fugas e mentiras frequentes.
- Incêndio e destruição da casa, carro ou objeto de outra pessoa e outras depredações de propriedade alheia.
- Gazetas de aulas, compromissos e vadiagem.
- Força outras crianças para atividades sexuais com ele.
- Baixa tolerância à frustração, favorecendo o aparecimento de irritabilidade e condutas violentas e vingativas, com desleixo ao bem-estar alheio.
- Vida pessoal comprometida por fracassos escolares e sociais.

- Kraepelin (1915) identificou crianças com condutas inadequadas.
- 2% a 9% de crianças e adolescentes, com maior incidência em meninos.
- Hewitte e Jenkins (1980) diagnosticaram no DSM III.
- Etiologia heterogênea. Os estudos mostram influência genética, mas isso apenas não é suficiente para fazer surgir o transtorno de conduta.
- É importante uma colheita de dados com outros informantes para não confiar unicamente nos relatos dissimulados do paciente ou seus cúmplices interessados. Estas informações também serão úteis para verificar o grau de gravidade do transtorno, o qual poderá ser: leve (mentiras e desobediências relativamente irrelevantes), moderado (uso de drogas e vandalismo) e severo (crimes, violência de toda natureza, crueldade e perversidade).

- Com frequência, é um precursor de comportamentos antissociais adultos, sobretu quando, apesar de condutas terapêuticas, não existe a diminuição desses ompo mentos; quase a metade das crianças com transtorno de conduta tornam-se adu sociopatas.
- A presença do comportamento impulsivo-agressivo pode ser um preditor de candi datos ao suicídio.
- Alta comorbidade (déficit de atenção e hiperatividade em 43% dos casos e transtor nos das emoções – ansiedade, depressão, obsessões/compulsões em 33% dos casos)
- Comorbidade com DDAH mais comum na infância, envolvendo principalmente o meninos; comorbidade com ansiedade e depressão mais comum na adolescência e em meninas.
- Não deve ser usado o termo delinquente, pois esta é uma termologia legal e não diagnóstica.
- Eventos da vida podem favorecer a persistência do comportamento antissocial n vida adulta.
- Quanto mais precoce o aparecimento da conduta desviante maior será a gravidad e a persistência ao longo da vida. Após os 18 anos, podem ser diagnosticados co transtorno de personalidade psicopática.

- NÃO É transtorno psicótico – em particular sintomas paranoides.
- NÃO É transtorno de humor e distimia – em adolescentes, transtorno de conduta pod ser o precursor de transtornos depressivos.

F91.0 TRANSTORNO DE CONDUTA RESTRITO AO CONTEXTO FAMILIAR

- Comportamentos agressivos e anormais restrito ao ambiente do lar, aos seus paren e objetos. Em geral, tem bom prognóstico, sobretudo quando são transitórios, função de pessoas que aparecem no ambiente familiar.

F91.1 TRANSTORNO DE CONDUTA SOLITÁRIO-AGRESSIVO

- Conduta antissocial agressiva persistente no relacionamento com outras crianças. É fruto de isolamento, rejeição e falta de intimidade com os grupos. É também denominado transtorno de conduta não socializado.

F91.2 TRANSTORNO DE CONDUTA GRUPAL

- Conduta antissocial ou agressiva persistente que ocorre na companhia de grupos de companheiros; quando sozinhos, são bem comportados.
- São roubos, brincadeiras abusivas, gazeta escolar, destruição de propriedades alheias e brigas de gangue.
- A característica principal desse transtorno é a presença do comportamento antissocial ou agressivo manifestando-se em indivíduos habitualmente bem integrados com seus companheiros.

F91.3 TRANSTORNO DESAFIADOR DE OPOSIÇÃO

- Conduta persistente, desafiadora, aborrecida, destrutiva, hostil e não cooperati em relação a figuras de autoridade, sem que sejam violações antissociais grave Em geral, incidem em crianças mais novas com baixa tolerância à frustração.

- Em geral, a manifestação desse transtorno ocorre antes dos 8 anos de idade e, e uma proporção significativa dos casos, o transtorno desafiador de oposição é u antecedente evolutivo do transtorno de conduta.

DESCOBRINDO

- Desafio ativo e recusa de regras solicitadas pelos adultos.
- Perda de paciência com facilidade, com frequentes discussões.
- Aborrece deliberadamente as pessoas, fica zangado e ressentido com os outros.
- Magoa-se fácil e torna-se vingativo.
- Discussões, desacatos e recusa ativa para obedecer a solicitações ou regras, adota do comportamentos deliberadamente incomodativos.
- Caráter bastante manipulador.

- Este é o transtorno mais comum em crianças (5%).
- Ocorre mais em meninos.
- Grande comorbidade: DDAH (43% dos casos), distúrbio de conduta, tiques, depre são (33% dos casos).
- 30% apresentam distúrbios de conduta na idade adulta.

- Não é distúrbio de conduta dos adolescentes.

F92 TRANSTORNOS MISTOS DE CONDUTA E EMOÇÕES

- Associação de transtorno de conduta persistente e sinais e sintomas de depressã ansiedade ou outros transtornos emocionais.

- Dependendo da intensidade, da persistência e da presença de sintomas concomitantes, a tristeza e a irritabilidade podem ser indícios de quadros afetivos em crianças e adolescentes.
- Quadros disfóricos, como amargura, irritação e desgosto, podem estar presentes nos transtornos das emoções, em que a agressividade é maior, muitas vezes em decorrência da criança não entender e não conseguir expressar de forma clara o que acontece internamente.

F92.0 – TRANSTORNO DEPRESSIVO

- Humor deprimido a maior parte do dia, quase todos os dias.
- São independentes das circunstâncias.
- Tristeza, apatia, fadiga. Culpa, perda de concentração, choro e isolamento social.
- Perda de prazer nas atividades prediletas e desinteresse por atividades usuais.
- Rebaixamento da autoestima, declínio escolar e sentimento de inutilidade.
- Pensamento de morte e suicídio.
- Irritabilidade e agressividade (principalmente no sexo masculino).
- Comportamento autodestrutivo.
- Irritabilidade, perda ou ganho significativo de peso.
- Agitação ou retardo psicomotor.
- Dificuldades no pensamento (problemas de concentração e pensamentos negativistas).
- Alterações de sono e apetite.
- Podem estar relacionados sintomas somáticos, como cefaleias, vômitos, enurese, dores abdominais, diarreias, fadiga e tonturas.
- Diminuição ou desaparecimento do prazer em brincar e de ir à escola.

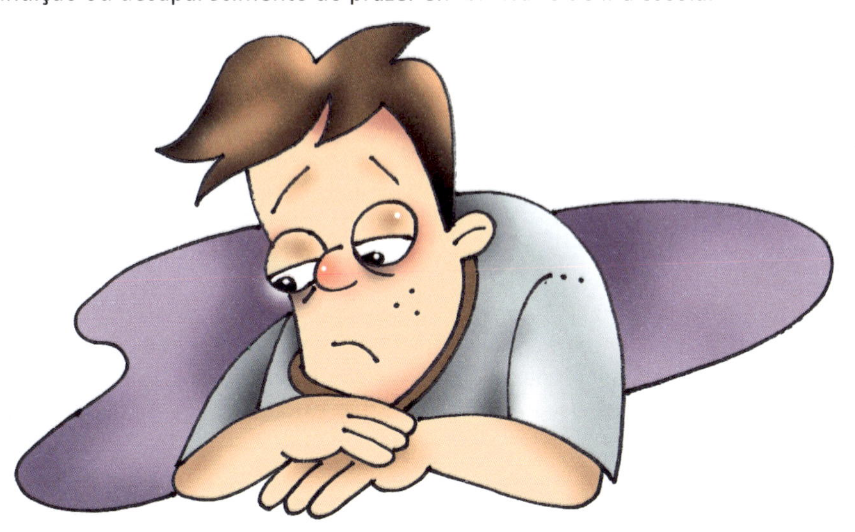

- É frequente o não reconhecimento desse transtorno, devido a sintomas atípicos (irritabilidade, ansiedade, hiperatividade).
- Os sintomas variam de acordo com a idade: até os 7 anos, a criança não apresenta habilidades verbais, o que dificulta o diagnóstico, sendo necessária a observação da postura facial, das atitudes, da postura corporal, entre outras.
- Com a iniciação escolar, a capacidade para descrever seus sentimentos aumenta, e frequentemente há relatos de tristeza, irritabilidade e tédio.

- Ocorre em 0,5% dos pré-escolares, em 1% na idade escolar e em quase 10 dos adolescentes.
- Spitz (1946) mostrou quadros de depressão em crianças com menos de 1 ano d idade por separação da mãe.
- Presença frequente de comorbidades (ansiedade, transtorno de déficit de atenção hiperatividade, uso nocivo de substâncias e transtornos de conduta).
- 50% a 80% das crianças com o diagnóstico de depressão têm história familiar d transtorno.
- As garotas costumam ter mais culpa e preocupações com popularidade, tornando-s mais insatisfeitas com a aparência e com baixa autoestima, enquanto os garotos relatam mais sentimentos de desprezo e desdém, com problemas de conduta como abus de álcool e certas substâncias, violência física, roubos etc.
- Prejuízo psicossocial.
- SUICÍDIO E AUTOAGRESSÃO – mais comuns entre adolescentes, porém present em crianças; frequentemente escondidos dos pais, muitas vezes com a forma an tecedente de comportamento suicida favorecendo o desfecho fatal. O uso de ar mas (de fogo e outras) é comum; outras formas violentas (enforcamento) são mai comuns no sexo masculino, enquanto as formas mais brandas, como a ingestão d medicamentos, ocorrem mais no sexo feminino. O desencadeamento da autoagres é ligada ao grau crescente de ansiedade (circunstancial ou ligada à patologia psiqui trica em 90% dos casos) e de dissociação na busca de alívio do sofrimento. São m comuns em parentes de primeiro grau com esse comportamento. Fatores de risc favorecimento genético, violência doméstica ou sexual, drogas, TEPT e humilhaçã em adolescentes.

- Conner's Rating Scale-Revised.
- Escala de Avaliação do Grau de Severidade da Depressão Infantil.
- Children's Depression Inventory.
- Inventário de Depressão Infantil (CDI) criado a partir de uma adaptação do Bec Depression Inventory para adultos.
- Columbia Suicide Screen.
- Child Behavior Checklist.
- Testes projetivos.

F92.1 – TRANSTORNO BIPOLAR

O QUE É

- Aparecimento de sinais e sintomas ligados ao espectro bipolar na faixa etária d crianças e adolescentes, tais como: alterações de humor (elevado ou irritado), loquacidade, fuga de ideias, distriabilidade, excitação psicomotora e agitação. Além disso a associação de sintomas depressivos.

- Geralmente irrompe de forma atípica.
- Oscilações de humor rápidas e no mesmo dia.
- Necessidade de sono diminuída.
- O humor irritável é mais frequente que a euforia, e sintomas mistos são comuns.
- O curso da doença é mais crônico do que episódico.
- Grande prevalência de comorbidades. Na maioria dos casos, é o DDAH (50 a 80%).
- Nos episódios graves, podem aparecer sintomas psicóticos (delírios e alucinações).
- É muito prejudicial para o desenvolvimento infantil, com grandes prejuízos familiares, sociais e escolares.
- Para a caracterização diagnóstica são necessários dois episódios de humor, sendo um deles de humor elevado.

- Outras comorbidades: transtornos ansiosos (30 a 70%), transtorno desafiador e de conduta e abuso e dependência de drogas.
- Presença de suicídio em torno de 44 a 72% nas crianças e adolescentes.
- Quanto mais precoce o aparecimento da doença, maior é sua gravidade e mais reservado é seu prognóstico.
- Indicadores de má resposta terapêutica: início precoce, episódios mistos, ciclagem rápida, sintomas psicóticos, classe econômica baixa, comorbidades, ausência de psicoterapia, transtornos psiquiátricos na família, baixa afetividade materna.
- Os sintomas psicóticos devem ter uma correspondência com o afeto revelado: exaltação ou tristeza.

F93.1 TRANSTORNO FÓBICO-ANSIOSO

- Transtorno com ansiedade intensa desencadeada por determinadas situações, as quais não representam perigos reais ou em tão grande proporção. Assim, determinadas situações são evitadas e suportadas de forma bastante penosa.
- O transtorno fóbico-ansioso se caracteriza exatamente pela prevalência da fobia entre os demais sintomas de ansiedade, ou seja, um medo anormal e persistente, e estão entre as doenças psiquiátricas mais comuns em crianças e adolescentes.

- Ansiedade.
- Medo.
- Obsessões ou compulsões.
- Despersonalização ou desrealização.
- Fobia e sintomas de pânico: falta de ar, palpitações, tremores, tontura e impressõe de desmaios.
- Crianças ansiosas interpretam as situações ambíguas de uma forma negativa co mais frequência.

- Até 10% das crianças e adolescentes sofrem de algum transtorno ansioso e mais d 50% das crianças ansiosas experimentaram um episódio depressivo como parte d sua síndrome ansiosa.
- Os transtornos ansiosos apresentam etiologia multifatorial, com contribuições gen ticas e ambientais.
- Estima-se que cerca da metade das crianças com transtornos ansiosos tenha també outro transtorno ansioso comórbido.
- Fator de risco principal para um transtorno ansioso no início da infância é ter pa com algum transtorno de ansiedade e depressão; assim, os transtornos ansiosos sã considerados como condições associadas ao neurodesenvolvimento com significati va contribuição genética.
- Estudos em jovens com diferentes transtornos de ansiedade mostraram que, quan do em situações de indecisão, o grupo com maior nível de ansiedade tendeu a apre sentar ativação da amígdala e córtex frontal, enquanto o grupo com menor grau d ansiedade apresentou desativação dessas regiões em resposta à incerteza.
- Os vínculos afetivos formados na infância parecem exercer certo papel na gênese do sintomas ansiosos, no que diz respeito aos aspectos psicodinâmicos.

- NÃO É transtorno do estresse pós-traumático (TEPT)
- NÃO É transtorno da ansiedade generalizada (TAG)

F93.0 TRANSTORNO DE ANSIEDADE DE SEPARAÇÃO

- Ansiedade excessiva em relação à separação de casa, de uma pessoa significativa o de objetos que eram importantes para ela, não adequada ao nível de desenvolvimen to, que persiste por, no mínimo, quatro semanas.

DESCOBRINDO

- Principais situações causadoras da ansiedade: mudança de uma casa para outra ou afastamento de pessoas que cuidavam dela.
- Preocupação irreal e persistente de "algo ruim" que possa acontecer com as pessoas significativas toda vez que elas se afastam ou consigo mesma.
- Não quer ir para outros lugares ou à escola para não se afastar das figuras importantes, como também não quer ficar em casa sem a presença dessas pessoas.
- Não dorme fora de casa e não quer dormir sozinha.
- Constantes pesadelos a respeito de separação.
- Queixas físicas constantes (cefaleia, dor de estômago, náuseas ou vômitos etc.). quando acontece ou poderá acontecer uma separação.
- Aparecimento de estado de angústia extrema em épocas de separação.

REFINAMENTO TÉCNICO

- Embora possa ocorrer em qualquer idade antes dos 18 anos, existe uma maior frequência desse transtorno em crianças de 7 a 9 anos de idade.
- O transtorno de ansiedade de separação é um dos quadros clínicos mais frequentes dentre os transtornos de ansiedade, com prevalência variando entre 3 e 5% em crianças e entre 2 e 4% em adolescentes.
- Maior preocupação e pensamentos trágicos aparecem em crianças com idade entre 5 e 8 anos.
- Protestos, acessos de raiva, falta de concentração e apatia são mais comuns em crianças de 9 a 12 anos de idade.
- Recusa escolar e queixas somáticas são comuns em adolescentes.
- 50% dos casos de ansiedade de separação vêm acompanhados de outros distúrbios da ansiedade e 33%, de depressão. Outros quadros clínicos comórbidos mas menos comum são: transtorno obsessivo-compulsivo (TOC) e transtorno de identidade sexual.
- No transtorno de ansiedade de separação, o fator genético não parece ter uma importância tão significativa, sendo o fator ambiental, principalmente o ambiente familiar, o principal determinante do quadro.
- Em meninos, o fator genético é praticamente nulo; já em meninas, existe certa influência genética mais significativa, porém, em todos os sexos, a influência ambiental é importante.
- A perturbação tem uma duração mínima de quatro semanas, e o início precoce se dá quando os sintomas ocorrem antes dos 6 anos de idade.
- Não existem evidências da existência de um gene específico associado à ansiedade. Provavelmente, as contribuições de diversos genes devem somar-se para determinar uma vulnerabilidade biológica para o desenvolvimento do transtorno de ansiedade.
- Sofrimento clinicamente significativo ou prejuízo no funcionamento social, acadêmico, ocupacional e em outras áreas importantes da vida do indivíduo.

- NÃO É transtorno de ansiedade social da infância.
- NÃO É transtorno fóbico ansioso da infância.

F93.2 TRANSTORNO DE ANSIEDADE SOCIAL

- Atitudes de retraimento, medo e evitação de contato com estranhos, suficientemente grave e não comparável com os limites normais para a idade.
- Em geral, o ambiente familiar é carinhoso e terno.

DESCOBRINDO

- Medo persistente e intenso em situações em que a criança ou o adolescente julgam estar expostos à avaliação dos outros, ou se comportar de maneira humilhante ou vergonhosa.
- Choro.
- Acessos de raiva.
- Evita afastamento de situações sociais sem os familiares.
- Desconforto em falar em sala de aula, comer junto de outras crianças, interagir em festas, escrever na frente de outras pessoas, usar banheiros públicos, dirigir a palavra para figuras de autoridade como professores e técnicos.
- Nessas situações, pode haver presença de sintomas físicos como tremores, falta de ar, palpitações, ondas de calor e frio, náusea e sudorese.
- Interpretação de eventos e situações cotidianas de forma ameaçadora.
- Crianças entre 10 e 12 anos com transtorno de ansiedade social tendem a desenvolver pensamentos negativos sobre si e sobre suas capacidades para lidarem com as situações sociais.
- Sintomas com duração mínima de 6 meses.
- Geralmente se inicia na adolescência e persiste na idade adulta, mas, em alguns casos, pode iniciar-se na infância, o que possivelmente leva a um intenso comprometimento psicossocial.

- A escola é o ambiente onde 60% dos eventos estressores listados pela criança e pelo adolescente ocorrem.

F93.3 TRANSTORNO DE RIVALIDADE ENTRE IRMÃOS

- Rivalidade ou ciúme estabelecido e persistente após o nascimento de um irmão (geralmente caçula).

- Acentuados sentimentos negativos.
- Comportamentos hostis e agressivos em relação ao irmão, podendo provocar transtornos físicos.
- Acentuado comportamento de oposição ou confrontação com os pais.
- Possíveis perturbações de sono.

F98.4 TRANSTORNO DE MOVIMENTO ESTEREOTIPADO

- Movimentos voluntários, repetitivos, estereotipados, não funcionais (com frequência rítmica), que não fazem parte de nenhuma condição neurológica ou psiquiátrica reconhecida. Os movimentos podem ser autoagressivos ou não.

- Movimentos autoagressivos:
  - Golpear a cabeça.
  - Dar tapas no rosto.
  - Enfiar o dedo nos olhos.
  - Morder as mãos, lábios ou outras partes do corpo.
- Não autoagressivos:
  - Balançar o corpo.
  - Balançar a cabeça.
  - Puxar e torcer o cabelo.
  - Maneirismo de pancadinhas com os dedos.
- Frequentemente associado a retardo mental.

- NÃO É roer unhas.
- NÃO É TOC.
- NÃO É tique.
- NÃO É estereotipia de transtorno invasivo do desenvolvimento.
- NÃO É tricotilomania.

F98.8 OUTROS

FIQUE DE OLHO

- Transtorno de Identidade.
- Rivalidade com companheiros (não irmãos).
- Transtorno de déficit de atenção sem hiperatividade.
- Masturbações.
- Roer unhas.
- Enfiar o dedo no nariz.
- Chupar o dedo.

TRANSTORNOS DE ALIMENTAÇÃO E EXCREÇÃO

F50 ANOREXIA E BULIMIA NA INFÂNCIA E NA ADOLESCÊNCIA

- Surgimento de sinais e sintomas da anorexia e da bulimia e de outros transtornos alimentares na faixa etária de 8 anos até a adolescência.

- Perda de peso de etiologia desconhecida, acompanhada de preocupações excessivas com peso, formato do corpo e tipo de alimentação, com modificações comportamentais (exercícios físicos exagerados ou jejuns) visando à perda de peso ou à prevenção de ganho (restritivo).
- Presença de vômitos autoinduzidos, uso de laxantes, diuréticos e enemas (purgativo).
- Relação de peso corporal e estatura inadequada. Em virtude disso, é recomendado o uso de gráficos de percentuais de crescimento ponderoestaturais pelo pediatra ou profissional clínico envolvido.
- Distorção da imagem corporal.
- Amenorreia primária (antes da menarca) ou secundária (após menarca e com interrupção de três ciclos seguidos) de etiologia desconhecida.
- Complicações clínicas decorrentes de exercícios físicos abusivos.
- Participação em grupos de risco: bailarinos, modelos, jóqueis.
- Osteoporose.

- Predominante em meninas (1.6 a 1.10).
- O pico de aparecimento de anorexia é na faixa de 12 a 15 anos, e a prevalência de bulimia é na faixa de 15 a 16 anos.
- Os fatores de risco interagem na etiologia dos transtornos alimentares. São: predisposição genética e hereditariedade, fatores biológicos, culturais (culto à magreza) e psicológicos (impulsividade e perfeccionismo).
- Altas taxas de comorbidades psiquiátricas (antes ou concomitantes) geralmente determinantes de pior prognóstico, como a depressão e outros transtornos ansiosos; o uso de substâncias também pode aparecer.

- Exames laboratoriais:
  - Hemograma completo.
  - Eletrólitos: cálcio, potássio, sódio, fósforo, fosfatase alcalina.
  - Glicemia e cortisol sérico.
  - Proteínas totais e frações.
  - Função tireoidiana: TSH, T4, T3, T4 livre.
  - Função hepática: TGO ou AST, TGP ou ALT.
  - Função renal: ureia e creatinina.
  - Função ovariana (menina amenorreica), LH (hormônio luteinizante), estradiol ou testosterona (meninos).
  - Outros complementares: densitometria óssea, radiografia de punhos, ultrassonografia pélvica, cloro e amilase (vômitos).

- Altas taxas de morbidade e mortalidade.
- Na restrição hídrica, existe risco de desidratação aguda e grave.
- As complicações podem ser irreversíveis (crescimento, densidade óssea e desenvolvimento ovariano e cerebral).
- A participação da família é fundamental para o sucesso terapêutico e para a prevenção de outras complicações e evoluções psiquiátricas.
- As formas atípicas ou parciais são mais comuns na infância e na adolescência e são tão nocivas quanto as formas típicas.
- A manutenção de doces e chocolate não exclui um transtorno alimentar em crianças e adolescentes, pois geralmente fazem parte de um padrão alimentar desregulado.

F98.2 RECUSA ALIMENTAR

O QUE É

- Recusa de alimentos e dengos extremos na presença de fornecimento de comida.
- Irritação com a comida e com o processo de se alimentar.
- Repulsa por novos paladares e falta de curiosidade por novos alimentos.
- Pode estar associada à ruminação (regurgitação retida sem náuseas ou doença gastrointestinal).

- Perda de peso por um período de pelo menos um mês.
- Dificuldades acima do esperado para quebrar a resistência para alimentar a criança.
- Em geral, essas crianças terão problemas orais, gástricos e alimentares na vida adulta.
- Duração de pelo menos um mês.

- NÃO É condição de escolha em que a criança faz a recusa porque alguém oferece o alimento.
- NÃO É doença orgânica.
- NÃO É anorexia nervosa e outros transtornos alimentares.

F98.3 PICA DO LACTANTE OU DA CRIANÇA

- Transtorno caracterizado pelo consumo duradouro de substâncias não nutritivas (por exemplo: terra, lascas de pintura, etc.). Pode constituir um comportamento psicopatológico relativamente isolado ou fazer parte de um transtorno psiquiátrico mais global como o autismo.

- Um diagnóstico de pica deve ficar reservado às manifestações isoladas.
- Esse comportamento se observa sobretudo em crianças que apresentam retardo mental, que deve constituir, nessa situação, o diagnóstico principal.

F98.0 ENURESE

- Liberação de urina, a qualquer hora (na roupa ou na cama), involuntária ou intencio- nal, com frequência, após os 4 anos de idade, por pelo menos três meses consecutivo

- Prevalência alta entre crianças de 5 a 7 anos.
- 1,1% dos meninos por volta dos 14 anos.
- Remissão espontânea depois dos 7 anos e eventual reaparecimento depois de 12 anos.
- A prevalência de fatores psicodinâmicos é maior quando a criança demonstrou competência fisiológica para manter a continência e depois a perdeu.

- NÃO É efeito fisiológico direto de uma substância diurética.
- NÃO É condição médica geral – diabetes, espinha bífida, transtorno convulsivo, infecção urinária, insuficiência renal crônica, malformações urológicas.

F98.1 ENCOPRESE

- Evacuação em horas e lugares inapropriados, proposital ou involuntária em crianças com 4 anos de idade, por pelo menos um mês.
- É decorrente de um distúrbio de origem psicogênica, com fezes pastosas, sem constipação intestinal.

- É classificada como primária ou secundária de acordo com a ausência ou presença temporária de controle esfincteriano prévio.
- Mais frequente em meninos (4:1).

- Pode apresentar a falta de treinamento higiênico adequado ou de resposta adequada ao treinamento.
- Uma educação punitiva e crítica pode levar a encoprese.
- Relação mãe e filho muito problemática na época do treinamento intestinal também é fator provocador.
- Crianças que defecam em lugares incomuns são mais resistentes aos tratamentos (apresentam mais problemas psicológicos).
- Pode ser uma evolução da enurese ou uma associação.
- Mudanças na organização familiar assinalam comumente o início da encoprese, tais como: ingresso na escola, nascimento de um irmão, início do trabalho da mãe fora da casa, etc.

- NÃO É decorrente de doença orgânica.
- NÃO É megacolo agangliônico.
- NÃO É consequência de efeitos fisiológicos diretos de uma substância – laxativos.

F95 TRANSTORNOS DE TIQUE

- São vocalizações ou movimentos motores involuntários (envolvendo um grupo mus cular), súbitos, rápidos, incoercíveis, recorrentes, em ataques disrítmicos e estereoti pados, que variam em termos de localização, frequência e vigor. Tendem a surgir so a forma de paroxismos. Suas características são a inoportunidade e o intempestivo.
- A diferenciação diagnóstica é feita baseada pelo curso de tempo de duração, e nã pelo tipo de tique.
- Em geral os tiques diminuem durante o sono, com o consumo de bebidas alcoólica ou em atividades que mobilizem a concentração do indivíduo; por outro lado, pode ser exacerbados no estresse, na fadiga, na ansiedade e na excitação.

F95.0 TRANSTORNO DE TIQUE TRANSITÓRIO

- Tiques motores e/ou vocais, isolados ou múltiplos.
- Ocorrem muitas vezes ao dia, quase todos os dias, por pelo menos 4 semanas, nã mais de 12 meses consecutivos. É o mais comum dos tiques.
- O início dá-se antes dos 18 anos, e afeta até 10% das crianças em idade escolar.

- Ocorre em 10% das crianças em idade escolar, com predomínio nos meninos (4:1 a 6:1
- A faixa etária de maior incidência situa-se entre 3 e 8 anos.
- Cerca de 5 a 30 em cada 10 mil crianças são afetadas, e a remissão completa e e pontânea dos tiques, ao longo da vida adulta, pode ocorrer em até 30% dos casos.

F95.1 TRANSTORNO DE TIQUE MOTOR OU VOCAL CRÔNICO

- Presença de um (vocal) ou outro (motor) por mais de 12 meses.
- **Tiques** motores simples: piscar ou virar os olhos, fazer caretas, torcer o nariz, movimentar a boca, estalar o maxilar, bater os dentes, tossir, sacudir a cabeça ou os braços, encolher os ombros, fazer movimentos com os dedos, chutar, tensiona o abdômen e outras partes do corpo, espasmo rápido de qualquer parte do corpo.
- **Tiques** motores complexos: gestos faciais, botar a língua para fora, olhar fixament em uma direção, abanar, bater palmas, movimentos de arremesso, esticar o bra ço, levantar a mão ao rosto, comportamentos de arrumar-se, saltar, bater o pé, agachar-se, pular, curvar-se, rodopiar quando caminha, contorcer-se, desvio ocular, tocar ou golpear partes do próprio corpo, de outras pessoas ou objetos, beijar, be car, organizar, movimentos repetitivos, inibição ou lentidão de movimentos, bater a cabeça, cutucar os olhos, arrancar casca de feridas, escarafunchar objetos e roupas morder os lábios ou outras partes do corpo, ecocinesia, ecopraxia.
- **Tiques** vocais simples: pigarrear, estalar a língua, fungar, bufar, cuspir, chiar, guin-char, latir, grunhir, gorgolejar, uivar, assobiar, sibilar, zumbir, sugar etc.
- **Tiques** vocais complexos: vocalização súbita de silabas impróprias (ex.: "uh, uh").
- Palavras (ex.: "ichi").
- Frases (ex.: "tipo assim").
- Sentenças completas, em que se podem incluir palilalia, ecolalia, coprolalia e ano malidades da fala.
- Porcentagem significativamente maior de tiques em crianças com dificuldades d leitura, com problemas comportamentais e emocionais, além de apresentarem ca racterísticas que as definem como "difíceis".

- Maior incidência também em crianças acompanhadas por programas escolares especiais.
- Os pacientes podem referir sensações físicas, mentais ou mistas que antecedem ou acompanham os tiques. Essas são denominadas sensações premonitórias ou fenômenos sensoriais, que são aliviados após a execução dos tiques.

F95.2 SÍNDROME DE GILLES DE LA TOURETTE

- São transtornos de tiques vocais e motores múltiplos e combinados, por mais de 12 meses.

- Múltiplos tiques motores e um ou mais tiques vocais, implicando tiques musculares, vocalizações, descoordenação motora, convulsões, contorções e descargas musculares.
- Aproximadamente 10% dos casos apresentam coprolalia.
- Na maior parte das vezes, envolvem o segmento anatômico da cabeça e do pescoço.
- Presença de tiques vocais simples, como gritar, coçar a garganta, e outros complexos, tais como palilalia e ecolalia.
- Ocorrem muitas vezes ao dia (geralmente em ataques), todos os dias, sem ter havido uma fase livre de tiques superior a três meses consecutivos.
- É distúrbio vitalício. No entanto, pode ocorrer uma atenuação sintomática e até desaparecimento no início da vida adulta.
- Início antes dos 18 anos. Existem relatos de início com 2 anos de idade, sendo de 7 anos a idade média de início.
- Predominante em meninos.
- Prevalência de 0,3 a 1% da população.
- Comprometimento social, ocupacional e emocional da criança.
- Baixo rendimento escolar.
- Transtorno genético de etiologia de desequilíbrio neuroquímico cerebral resultante de anomalias nos neurotransmissores de dopamina e serotonina.
- A gravidade dos sintomas é geralmente influenciada por fatores ambientais, como discussões e exposições.
- Comorbidades: TOC (40%), tricotilomania (4%) e dermatotilexomania (repetição crônica de coçar, tocar, cutucar, arranhar, furar ou escoriar determinadas regiões da pele, de modo tão intensivo ou repetitivo que acaba provocando o aparecimento de feridas, cicatrizes ou mudanças na pigmentação da pele) em 25% da população geral.

- 50 a 90% apresentam diagnóstico TDAH, e estudos mostram variação entre 13 e 76% para incidência de distimia e depressão.
- Fobias simples, fobia social, agorafobia e transtornos de ansiedade de separação também são comorbidades, como também o transtorno bipolar oscila entre 7 e 28%.

- Em algum momento da doença estão presentes tiques motores e um ou mais tiques vocais, ainda que não necessariamente de modo simultâneo.
- O indivíduo tem comportamentos que se caracterizam por envolver grupos musculares não relacionados em termos funcionais, como, por exemplo, a imitação de gestos realizados por outras pessoas, sejam eles comuns (ecocinese) ou obscenos (copropraxia).
- Importante a meticulosidade para o diagnóstico correto, já que 10% das crianças em geral poderão apresentar algum tipo de tique em algum momento da vida.
- Em 50% das crianças com transtorno de Gilles de La Tourette, a indicação para o primeiro sinal de perturbação do desenvolvimento é a perturbação da hiperatividade com déficit de atenção.
- Comorbidades como perturbações do comportamento, perturbações obsessivo-compulsivas (TOC) e hiperatividade (TDAH) podem trazer grande dificuldade de aprendizagem, embora a capacidade intelectual seja preservada, porém, devido à presença dos tiques, não consegue aprender.
- Hoje, considera-se mais apropriado compreender este transtorno de tique não como doença de causa única, mas como conjunto de sintomas que surge por meio de um modelo multifatorial entre suscetibilidade e estressores ambientais.
- Embora diversos estudos tenham concluído uma importância nos fatores genéticos na síndrome, até agora não se definiu o seu padrão de transmissão.

- Escala Yale Global Tic Severity (YGTSS).

FIQUE DE OLHO

- NÃO É efeito fisiológico direto de uma substância estimulante ou algum tipo de neuroléptico.
- NÃO É condição médica geral – doença de Huntington ou encefalite pós-viral.
- NÃO É traumatismo craniano ou acidente vascular cerebral.
- NÃO É doença de Wilson.
- NÃO É coreia de Sydenham.
- NÃO É doença de Hallervorden-Spatz.
- NÃO É síndrome de Lesh-Nyhan.
- NÃO É retardo mental.
- NÃO É esclerose múltipla.
- NÃO É "tourretismo", quadro orgânico que se apresenta com sintomas semelhantes

TRANSTORNOS MENTAIS CULTURAIS

Marcos de Jesus Nogueira
Marina Baroni Borghi

F48.8 TRANSTORNOS MENTAIS CULTURAIS

O QUE É

- São transtornos mentais (manifestações psicopatológicas em forma e conteúdo) geral mente limitados em sociedades, populações ou áreas culturais específicas, nas quai recebem denominações populares que, muitas vezes, apresentam significados coerer tes e restritos a estes locais. Essas denominações geralmente são exóticas e sugestivas
- Manifestam-se dentro de certos padrões de comportamento aberrantes e como exp riências perturbadoras e recorrentes que não estão completamente relacionados cor as categorias dos manuais psiquiátricos, mas que são considerados pela população loca como "doenças" ou causas de sofrimento mentais ou emocionais.
- Geralmente são fenômenos dissociativos, com maior ou menor comprometimento d consciência (neurológica ou reflexiva), podendo ser acompanhados de sintomas físico (dor de cabeça, náuseas, taquicardia, sudorese, convulsões e outros).
- São melhores assistidos por pessoas preparadas da comunidade (xamãs, benzedeira padres, pastores, pais de santo, médicos generalistas e outros).
- Não podem ser considerados fenômenos patológicos quando:
  - Não há sofrimento psicológico.
  - Não há prejuízo social ou ocupacional.
  - A experiência é de curta duração.
  - Existe atitude crítica sobre a realidade da vivência.
  - Existe controle sobre a experiência.
  - Existe compatibilidade com o grupo cultural ou religioso do indivíduo.
  - Não há comorbidades.
  - Pode trazer crescimento pessoal ao longo do tempo e uma atitude de ajuda aos outros

- NÃO É esquizofrenia.

AMOK

- Acesso dissociativo furioso com intenção homicida; ligado à cultura da Malásia.

- Período prodrômico prolongado de ruminação e tristeza.
- Segue-se uma crise de explosividade, agitação e destrutividade, podendo termina em homicídio (inclusive de grupo de pessoas).
- Geralmente acomete homens que sofreram estresse ligado à humilhação, com cor sequente queda da autoestima.

- Classificada como uma doença psiquiátrica por volta de 1849.
- Amok – termo malaio, *meng-âmok*, que significa “atacar e matar com ira cega”.
- 1911 – descrito na Enciclopédia Britânica por Webster.
- 1972 – o psiquiatra Joseph Westermeyer descreve e analisa casos.
- Comportamento semelhante tem sido observado em praticamente todas as culturas ocidentais e orientais – amok símile*.

* Designação para transtornos, fenômenos e fatos criminais que apresentam as características psicopatológicas do transtorno malaio que estão se multiplicando nas culturas ocidentais e universais.

ALGUNS CRIMES AMOK SÍMILE*

- 4 de setembro de 1913, Vaihingen an der Enz (Alemanha), 17 mortos.
- 18 de maio de 1927, Massacre de Bath School, Michigan (EUA), 45 mortos.
- 6 de setembro de 1949, Camden, Nova Jersey (EUA), 13 mortos.
- 11 de junho de 1964, Colônia (Alemanha), 10 mortos.
- 1º de agosto de 1966, University of Texas, Austin (EUA), 17 mortos.
- 3 de junho de 1983, Eppstein, Hesse (Alemanha), cinco mortos, 14 feridos.
- 4 de dezembro de 1986, Bogotá (Colômbia), 29 mortos.
- Janeiro de 1989, Rauma (Finlândia), um jovem de 14 anos matou dois colegas.
- 6 de dezembro de 1989, École Polytechnique de Montreal, Quebec (Canadá), 14 mortos, 14 feridos e o suicídio do autor.
- 13 de março de 1996, Glasgow (Escócia), 17 mortos.
- 28 de abril de 1996, Port Arthur (Tasmânia), 35 mortos.
- 20 de abril de 1999, Littleton, Colorado (EUA), 15 mortos.
- 3 de novembro de 1999, São Paulo (Brasil), um estudante de medicina invade uma sala de cinema do Morumbi Shopping, descarrega uma submetralhadora na plateia, matando três pessoas e ferindo outras cinco. O atirador foi preso.
- 27 de setembro de 2001, Zug (Suíça), 15 mortos.
- 26 de abril de 2002, Erfurt (Alemanha), 17 mortos.
- 27 setembro, 2004 (Argentina), três mortos, cinco feridos.
- 13 de setembro de 2006, Dawson College, Westmount, Quebec (Canadá), um morto, 19 feridos, o atirador se suicidou em seguida.
- 20 de novembro de 2006, Emsdetten (Alemanha), um morto, 37 feridos.
- 16 de abril de 2007, Blacksburg, Virgínia (EUA), 32 mortos, 29 feridos.
- 7 de outubro de 2007, Crandon, Wisconsin (EUA), sete mortos e vários feridos, atirador se suicidou.
- 7 de novembro de 2007, Tuusula (Finlândia), oito mortos.
- 5 de dezembro de 2007, Westroads Mall, Omaha, Nebraska (EUA), nove mortos, incluindo o assassino que se suicidou.
- 14 de fevereiro de 2008, Northern Illinois University, DeKalb, Illinois (EUA), seis mortos, incluindo o assassino.
- 8 de junho de 2008, Akihabara, Tóquio (Japão), um homem com uma faca matou sete pessoas.
- 23 de setembro de 2008, uma escola em Kauhajoki (Finlândia), nove mortos.
- 11 de março de 2009, Winnenden (Alemanha), 16 mortos.
- 7 de abril de 2011, Rio de Janeiro (Brasil), um ex-aluno da escola pública Tasso da Silveira invadiu-a, matou 12 crianças e depois se suicidou.
- 17 de julho de 2011, Santiago (Chile), 3 mortos (incluindo o assassino) e quatro feridos.
- 20 de julho, 2012, Aurora, Colorado (EUA), um homem armado e vestido com roupas táticas lançou gás lacrimogêneo e granadas na plateia de um cinema. Em seguida,

utilizou múltiplas armas de fogo, matando 12 pessoas e ferindo outras 58. O homem foi preso sem resistência minutos depois no estacionamento do local.

- 14 de dezembro, 2012, Connecticut (EUA), após matar a mãe em casa, jovem mat 20 crianças e oito adultos em uma escola primária e se suicida.
- 26 de julho de 2016, um atirador de 18 anos mata nove e se suicida em um shoppin de Munique.
- 3 de abril de 2018, San Bruno, na Califórnia, tiroteio deixa três pessoas feridas e a atiradora comete suicídio.
- 26 de agosto de 2018, várias pessoas foram mortas em um tiroteio maciço em um torneio de videogame em Jacksonville (nordeste da Flórida), o atirador de 24 anos se suicidou.
- 17 de outubro de 2018, jovem de 18 anos mata 19 pessoas em escola da Crimeia, região do Mar Negro.
- 2 de novembro de 2018, Tallahassee, na Flórida, em um estúdio de ioga, um homer atira em seis pessoas, mata duas e se suicida.

- Os crimes amok símile têm em comum:
  - Os assassinos, em sua maioria, eram homens, com exceção de um caso documentad
  - Personalidade esquizoide, calados, ressentidos e fora do controle familiar.
  - Viciados em jogos e filmes violentos.
  - Sabiam manejar as armas como se fossem profissionais.
  - Antes das ocorrências, os assassinos não apresentam qualquer sinal de comportam to desviante ou histórico de delinquência, mas tinham histórico familiar complicad
  - Os massacres foram planejados para serem públicos.

- Estudiosos que trabalham com o perfil criminoso amok símile encontram:
  - 61% dos casos ocorrem por vingança (*bulliying*).
  - 61% dos assassinos são depressivos reativos.
  - 83% sofrem dificuldade para lidar com perdas.
  - 93% dos criminosos, antes do evento, demonstraram comportamento estranho; assim, uma das poucas formas de prevenir estes acontecimentos seria o relato de atitudes de pessoas suspeitas para as autoridades da comunidade envolvida.
  - 95% dos ataques são planejados com armas de fogo adquiridas de parentes ou conhecidos; geralmente em número de duas ou três.
  - Não parecem ser atos impulsivos, mas sim planejados na "ruminação" anterior.
  - Parecem ser comuns por causa da ampla e imediata cobertura da imprensa; no entanto, são raros, a ponto de num ano bem violento como o de 2003 aconteceram apenas 30 casos nos EUA.
  - Não há presença de drogas no evento em quantidades significativas para não atrapalhar a ação (às vezes, são usados benzodiazepínicos para manter a calma).
  - São poucos os indivíduos que são psicóticos; são predominantemente portadore de transtornos de personalidade (antissocial, paranoico, narcisista ou com traços esquizoides), e mesmo os depressivos reativos estão misturados nas personalidad com esses traços.
  - Os criminosos que não se suicidaram mostram-se calmos após o evento como consequência da violência muito planejada.

LATAH

- Episódio dissociativo de reações motoras e verbais ligado à cultura do sudeste da Ásia.

- Desencadeado por estresse repentino como um reflexo de sobressalto.
- Início súbito em homens e mulheres de meia-idade, sugestionáveis, de baixo nível socioeconômico.
- Inquietação, sintomas conversivos, com obediência automática, sob a forma de transe associados a movimentos de ecopraxia, automatismos e manifestações de fala, tais como coprolalia.

REFINAMENTO TÉCNICO

- A palavra latah, como substantivo, é oriunda da Malásia e é usada para designar pessoas, principalmente mulheres, que apresentam esse transtorno episódico.
- Transtornos similares foram registrados, de forma rara, em outras culturas e locais: em mulheres da cultura Ainu do Japão – IMU (citado adiante) – , nos franceses do Maine, com seus saltos vocalizados, os movimentos ecopráxicos e sugestionáveis na Sibéria, lembrando um transtorno de tique.
- Existem poucos trabalhos científicos na literatura médica, mas muitos vídeos sugestivos foram postados na internet.
- Na maioria das vezes, são desencadeados por provocações grupais.
- Muitos antropólogos não concordam com a inserção desses fenômenos em classificação de distúrbios mentais, pois lhe dão configuração de papeis sociais limitados e regrados, que são exercidos para justificar comportamentos que normalmente seriam reprovados. Nas diferentes culturas e grupos, alguns indivíduos em situações grupais festivas ou tribais apresentam comportamentos diferentes e jocosos com a finalidade de romper algumas regras. Isso é, então, comum e próprio da condição humana em geral.

KORO

- Episódio de intensa ansiedade e pânico em virtude de temores de retração peniana, ligado à cultura do sul da China e do sudeste da Ásia.

- Medo repentino e intenso com manifestações parestésicas e neurofisiológicas, podendo chegar ao desmaio.
- A temática do pânico está ligada com o possível encolhimento do pênis e sua retração intra-abdominal e consequente morte.

PIBLOKTOQ

- Transtorno dissociativo com agitação psicomotora, ligado à cultura dos esquimós.

- Ataques nos quais o indivíduo se atira na neve, chorando, gritando, rasgando as roupas, imitando o canto dos pássaros.
- Acompanha ecolalia, coprofagia.
- Em geral, mulheres.
- Amnésia do episódio.

- Crença na existência de espíritos malignos.
- Pouco frequente, tem duração de 1 a 2 horas.
- Em alguns casos, vem seguido de convulsões, sonolência profunda.
- Possivelmente ligado à hipervitaminose A.

ATAQUE DE NERVOS

- Transtorno somático de característica hipondríaca, ligado à cultura sul-americana.

- Queixas somáticas de cefaleia, nervosismo, tremor, fadiga, ansiedade e sensação de doença.

TAIJINKYOFUSHU

- Vivência deliroide, com fobia de contaminação de terceiros através de suas impurezas e características negativas. Ligada à cultura do Japão.

- Homens jovens.
- Evitação fóbica em relação ao contato com outras pessoas.
- Ideação deliroide de estar exalando odores desagradáveis ou de causar algum tipo de constrangimento aos outros.
- Sintomas intensos que o diferenciam da fobia social.

QI-GONG

- Sugestionabilidade de bem-estar adquirida pela prática de meditação e kung-fu, ligada à cultura da China.

- Hipercapnia: exercícios respiratórios e mantras são agentes físicos e psicológicos, desencadeando hipercapnia, ou o excesso de dióxido de carbono no sangue e no cérebro, diminuindo o ritmo respiratório, a pressão arterial, o consumo de oxigênio, levando ao torpor, à sonolência e, consequentemente, a estados alterados de consciência.

WINDIGO

- Transtorno delirante de conteúdo imaginativo de transformação; ligado à cultura do índios da América do Norte.

- Delírio de transformação em enorme monstro canibal e maligno.
- Distúrbio gastrintestinal com grande nervosismo.
- Depressão, obsessão pela ideia de possessão, seguido de pensamentos homicidas e ou suicidas, podendo chegar ao estado de canibalismo homicida.

DHAT

- Síndrome obsessiva com preocupação hipondríaca em relação aos efeitos debilitan tes devido à perda de sêmen na urina associada a outros sintomas somáticos e psíquicos. Ligada à cultura da Índia e dos países vizinhos (Paquistão, Nepal, Mianm Sri Lanka e outros).

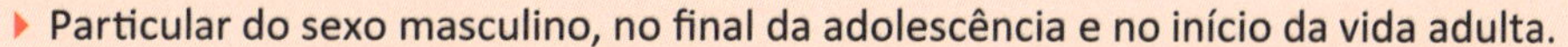

DESCOBRINDO

- Particular do sexo masculino, no final da adolescência e no início da vida adulta.
- Além dos pensamentos obsessivos, apresenta o quadro clínico abaixo:
  - Fraqueza.
  - Fadiga.
  - Dificuldades sexuais: ejaculação precoce, impotência sexual.
  - Palpitações.
  - Insônia.
  - Ansiedade.
  - Humor deprimido.
  - Culpa.

- Para os indianos e sua medicina milenar, as secreções corporais são purificadas, daí advém o termo Dhatu.
- A masturbação, em diversas culturas, é altamente reprimida. Os mitos, particularmente referentes aos genitais, levam ao estresse quando da prática da masturbação, devido à ideia de que haverá uma debilitação física e morte.

VODU

- Transtorno de ansiedade persecutória de rejeição e isolamento, podendo levar à depressão e à morte, ligado à cultura do Haiti.

ROOTWORK

- Quadro semelhante ao vodu, ligado à cultura do sul dos Estados Unidos.

POSSESSÃO DEMONÍACA E ESPIRITUAL

- Transtorno dissociativo de transe, com perda de identidade transitória, movimentos rítmicos corporais e mudança de voz; ligado a culturas religiosas brasileiras (candomblé, igrejas evangélicas e espiritualistas).

- Alteração qualitativa de consciência causada por sugestão e manifestada por estado sonambúlico.
- Modificação do estado por meio de respostas verbais e físicas dadas às injunções sugestivas feitas por uma figura de autoridade.
- Confusão mental ou sonolência, além de grande desgaste físico e amnésia ao sair do processo.

- Para a psiquiatria, o transe e a possessão são considerados doenças se vivenciados fora de algum contexto religioso.

IMU

- Episódio dissociativo, semelhante ao Latah, ligado à cultura do Japão.

OUTROS

- MALI-MALI (dissociação) nas Filipinas.
- AMURAKH (dissociação) na Sibéria.
- MAL DE PELEA (dissociação) em Porto Rico.
- JIRYAN (obsessões) na Índia.
- SUKRA PRAMEHA (obsessões) no Sri Lanka.
- MAU-OLHADO (obsessões) na América Latina.

TRANSTORNOS ESPECIAIS

Marcos de Jesus Nogueira

F68.1 SÍNDROME DE MUNCHAUSEN

- Produção consistente, repetida e intencional de sintomas, com finalidade de busc de atenção e simpatia.

- Os resultados de exames físicos, laboratoriais e de imagem não condizem com sintomas da queixa.
- Em geral, há necessidade de ajuda da família para a elaboração do diagnóstico.
- Passagem por vários médicos e serviços com queixas de diferentes doenças (pacien peregrino ou "rato" de hospital).
- Não existe motivação para ganho financeiro ou finalidades judiciais.
- Denominada por procuração ou por substituição quando um terceiro é usado pa ser alvo das queixas e sintomas.
- Em geral, são mães que abusam de seus filhos com essa finalidade, usando vômitos e outras excreções dizendo que são deles, além de lhes injetar urina e provocar lesõe

REFINAMENTO TÉCNICO

- Também chamada de transtorno factício.
- As queixas podem estar relacionadas com sintomas físicos, psíquicos ou com a as ciação dos dois.
- Descrita por Richard Asher em 1951.
- Prevalência desconhecida; mais comum em homens, com aparecimento entre os 3 40 anos.
- É comum que o portador tenha trabalhado na área de saúde ou tenha história c hospitalização ou tratamento prolongado na infância ou adolescência.
- Pode estar ligada aos transtornos de personalidade ou uso de drogas para induçã de sintomas.
- A inspeção do abdômen pode mostrar cicatrizes.

NÃO É simulação – não existe motivação de ganho financeiro, judicial ou evasão de serviço militar.
NÃO É outra doença – história e exames não compatíveis.

SÍNDROME DE ESTOCOLMO

- Manifestações comportamentais e emocionais observadas em pessoas vítimas de sequestros, ou em situações de abuso físico ou mental.

- Situação de **poder e coerção** na qual o indivíduo é submetido, com **ameaça de morte** ou de risco de sua **integridade física** da qual **sente que não pode escapar**, e que o levam a sentir afetos positivos, ambíguos (amor e ódio), mostrando uma **identificação com o agressor** (chega a protegê-lo de situações de acusação).

- É necessário que ocorram **"pequenos gestos de afeto"** por parte do agressor, produto da "culpa" do mesmo (tenta ser "perdoado" pela vítima), o qual acaba reforçando e sendo receptivo às manifestações de afeto positivo da vítima.

- É necessário que o tempo de refém ou cativeiro estenda-se por muitos dias, e as vítimas não fiquem em ambientes separados dos agressores. O abuso dificulta a formação da síndrome.

- É necessária a situação de **dependência psicológica** da vítima com o agressor.

- Ocorrem em **situações** de sequestro, cativeiro, relacionamentos amorosos sadomasoquistas, sobreviventes de campos de concentração, e outras relações de violência doméstica, crianças abusadas, relações de trabalho escravocratas e outras com assédio moral.

- Sintomatologia semelhante ao transtorno de estresse pós-traumático, com exceção dos afetos pelos algozes.

- O termo foi cunhado pelo psicólogo, Nils Bejerot, que colaborou com a Polícia, após um assalto a um banco, em Estocolmo, Suécia, em 23 de agosto de 1973; quatro pessoas ficaram reféns durante seis dias. Posteriormente, as vítimas recusaram-se a colaborar nos depoimentos que acusariam os sequestradores, chegando a angariar recursos financeiros para a defesa; uma delas chegou a ficar noiva de um dos criminosos que cumpria pena.

- Não afeta todos os reféns. Num estudo do FBI de mais de 1.200 casos com reféns, descobriu-se que 92% deles não desenvolveram a síndrome.

- OUTROS EXEMPLOS DE SEQUESTROS

  1) **Natascha Maria Kampusch** (Viena, 17 de fevereiro de 1988) – é uma austríaca conhecida por seu sequestro aos 10 anos de idade, e ficou oito anos numa cela em cativeiro, por **Wolfgang Priklopil**, desde 2 de março de 1998, quando estava a caminho da escola, escapou em 23 de agosto de 2006, com então 18 anos. O caso foi descrito como um dos mais dramáticos da história criminal da Áustria.

  2) **Patricia Campbell Hearst** – neta do magnata das comunicações **William Randolph Hearst**, sequestrada em 1974 por membros do **Exército Simbionês de Libertação**. Sofreu lavagem cerebral e passou a adotar o nome Tania, juntando-se aos sequestradores num assalto a banco. Ela foi presa e cumpriu parte da pena, até receber um indulto do presidente Jimmy Carter.

MITOLOGIA

O mito greco romano do rapto de Perséfone pode ser utilizado como reflexão par uma **análise fenomenológica** da síndrome de Estocolmo: assim, encontramos pre sentes a **situação de domínio total e incoercível do individuo**, inclusive de sua vida e mesmo assim existe uma situação de amor, dependência **e afeto da vitima er relação ao opressor.**

O MITO

Deméter (Ceres), deusa da lavoura, trabalhava junto aos homens, ensinando-lhes o plantio e a colheita de trigo. Tinha uma filha chamada Perséfone (Proserpína), uma jovem virgem adolescente com os cabelos dourados, e a incumbia de colher ramos de trigo em um campo separado dos outros, preservando-a do contato com os homens.

No mundo subterrâneo, habitava um deus chamado Hades (Plutão), senhor dos infernos e do mundo subterrâneo dos mortos. Em uma de suas passagens pela superfície, Hades avista Perséfone nos campos de trigo e se apaixona imensamente por ela. Indo em sua direção, agarra-a pelos cabelos e a coloca em sua carruagem negra puxada por cavalos negros que soltavam chamas verdes das ventas. A terra se abre num terremoto e Hades rapta Perséfone, levando-a ao seu reino. Lá, amarrando-a em sua cama, a estupra dezenas de vezes.

Na superfície, ao fim de mais um dia de trabalho, Deméter percebe o desaparecimento de sua filha e, desesperada, gritava seu nome pelos campos. Depois de nove dias e nove noites, desiludida e cheia de dor, se vinga tornando estéril e árida a vegetação sob seu domínio, trazendo a fome e a desolação aos homens.

No Olimpo, Zeus (Júpiter), irmão de Hades, que tinha assistido a tudo, resolve intervir, chamando Hermes (Mercúrio) para ir até as profundezas para convencer Hades a libertar Perséfone. Somente ele tinha condições de entrar nos infernos por possuir a palavra sagrada impronunciável que abria os portais do mundo dos mortos. Sendo o deus da palavra, ele havia um dia conseguido escutar esta senha e a repetir, tendo livre acesso a esse mundo e encontrando Hades, surpreende-se. Ao tentar convencê-lo a libertar Perséfone, Hades permite que ele a leve imediatamente. Sua surpresa maior foi quando Perséfone se recusou a voltar à superfície.

Após ter conhecido o prazer e ter se sentido fértil, conhecendo os frutos da romãzeira dados por seu esposo Hades, que a deixara uma mulher exuberante e madura, negava-se a sair de lá, local onde tinha se transformado e tido contato com o outro lado da vida e se apaixonado por seu amo e senhor.

Hermes leva a questão a Zeus, que percebendo não poder interferir nas questões do amor entre ela e seu irmão, profere uma sábia sentença: Perséfone não se separaria de Hades, que tanto amava, mas não poderia deixar sua mãe que, triste, não permitia a terra produzir alimento aos homens. Decide então que ela passaria nove meses na superfície, junto a sua mãe Deméter, período de florescência, maturação e colheita. No período invernal, nos três meses seguintes, enquanto a terra dormia, passaria em companhia de seu esposo Hades. Perséfone deveria realizar esse serviço imposto, tomando consciência de que serviria ao esposo, dando-lhe prazer e recebendo amor, mas que também serviria à mãe e à natureza.

VISÃO FILOSÓFICA

O **filósofo Simon May**, em seu livro "Amor: uma história", no capítulo "O fundamento do amor ocidental", nos ensina que vivemos num equívoco originário da visão grega, de que o genuíno amor é evocado apenas pelo bem; argumenta ainda, que uma criança ama e defende seus pais antes dos conceitos de bom e mal, povos oprimidos choram nos funerais de seus lideres opressores, e ressalta os riscos que corremos ao ignorarmos estes aspectos contraditórios na análise dos aspectos do amor humano em sua dimensão mais genuína.

A essência de amar, nas circunstâncias de domínio e opressão, seria dada pela nossa crença que o "outro" tem o **poder ontológico de dar ou tirar nossa vida** e ser. Inclusive, o poder que surge do mal ou faz mal.

FREUD

O simbolismo desse tipo de relacionamento pode ser extraído da obra freudiana de 1919 - *Uma criança é espancada: uma contribuição ao estudo da origem das perversões sexuais.* In: Freud, Sigmund. Edição standard brasileira das obras psicológicas completas de Sigmund Freud. 2.ed. Rio de Janeiro: Imago, 1987. vol.17, p.225-253

CONTO DE FADAS

O conto de fadas francês do século XVIII *A bela e a fera* apresenta uma narrativa metafórica que também disponibiliza todos os atributos para o entendimento do fenômeno da síndrome de Estocolmo.

O CONTO

Relata a história da filha mais nova de um rico mercador, que tinha três filhas, porém, enquanto as filhas mais velhas gostavam de ostentar luxo, de festas e de lindos vestidos, a mais nova, que todos chamavam Bela, era humilde, gentil, e generosa, gostava de leitura e tratava bem as pessoas.

Um dia, o mercador perdeu toda a sua fortuna, com exceção de uma pequena casa distante da cidade. Bela aceitou a situação com dignidade, mas as duas filhas mais velhas não se conformavam em perder a fortuna e os admiradores, e descontavam suas frustrações na Bela, que humildemente não reclamava e ajudava seu pai como podia.

Um dia, o mercador recebeu notícias de bons negócios na cidade, e resolveu partir. As duas filhas mais velhas, esperançosas em enriquecer novamente, encomendaram-lhe vestidos e futilidades, mas Bela, preocupada com o pai, pediu apenas que ele lhe trouxesse uma rosa.

Quando o mercador voltava para casa, foi surpreendido por uma tempestade, e se abrigou em um castelo que avistou no caminho. O castelo era mágico, e o mercador pôde se alimentar e dormir confortavelmente, pois tudo o que precisava lhe era servido como por encanto.

Ao partir, pela manhã, avistou um jardim de rosas e, lembrando do pedido de Bela, colheu uma delas para levar consigo. Foi surpreendido, porém, pelo dono, uma Fera pavorosa, que lhe impôs uma condição para viver: deveria trazer uma de suas filhas para se oferecer em seu lugar.

Ao chegar em casa, Bela, mediante a situação, resolveu se oferecer para a Fera, imaginando que ela a devoraria. Em vez de a devorar, a Fera foi se mostrando aos poucos como um ser sensível e amável, fazendo todas as suas vontades e

(continua)

tratando-a como uma princesa. Apesar de achá-lo feio e pouco inteligente, Bela se apegou ao monstro que, sensibilizado a pedia constantemente em casamento, pedido que Bela gentilmente recusava.

Um dia, Bela pediu que Fera a deixasse visitar sua família, e este muito a contragosto, concedeu, com a promessa de ela retornar em uma semana. O monstro combinou com Bela que, para voltar, bastaria colocar seu anel sobre a mesa, e magicamente retornaria.

Bela visitou alegremente sua família, mas as irmãs, ao vê-la feliz, rica e bem vestida, sentiram inveja, e a envolveram para que sua visita fosse se prolongando, na intenção de Fera ficar aborrecida com sua irmã e devorá-la. Bela foi prorrogando sua volta até ter um sonho em que via Fera morrendo. Arrependida, colocou o anel sobre a mesa e voltou imediatamente, mas encontrou Fera morrendo no jardim, pois ela não se alimentara mais, temendo que Bela não retornasse.

Bela compreendeu que amava a Fera, que não podia mais viver sem ela, e confessou ao monstro sua resolução de aceitar o pedido de casamento. Mal pronunciou essas palavras, a Fera se transformou num lindo príncipe, pois seu amor colocara fim ao encanto que o condenara a viver sob a forma de uma fera até que uma donzela aceitasse se casar com ele. O príncipe casou com Bela e foram felizes para sempre.

FILMES RELACIONADOS

1) O COLECIONADOR (*The colletor*, dirigido por Willian Wyler, 1965), em que um ra paz solitário e colecionador de borboletas, enamora-se por uma mulher e a leva par um cativeiro no porão de sua casa.

2) O PORTEIRO DA NOITE (*Il portiere di notte*, Itália, EUA, Liliana Cavani, 1974), his tória de suspense e erotismo, em que Lúcia (Charlotte Rampling), uma sobrevivent de campo de concentração, encontra Maximilian (Dirk Bogard), um ex-oficial tortu rador e abusador da mesma; ele agora é porteiro em um hotel em Viena. E, assim revivem essa relação ambígua e ela não o denuncia e ainda vive uma ardente paixã com ele.

TRANSTORNOS DO DESENVOLVIMENTO INTELECTUAL

Maurício Eugênio Oliveira Sgobi

TRANSTORNOS DO DESENVOLVIMENTO INTELECTUA

- Condição em que houve interrupção do desenvolvimento mental, prejudicando o n vel global de inteligência, ou seja, do pensamento lógico e abstrato, das aptidões d aprendizado, de linguagem e das habilidades motoras e sociais.

- Os múltiplos níveis de gravidade dessas deficiências deverão ser determinados com base no desempenho adaptativo e não pelo resultado (escores) do QI, para determi nação do grau de apoio necessário.
- Início na tenra idade (pré-natal, perinatal e pós-natal) até a puberdade.
- Maior prevalência do gênero masculino.
- Nível intelectual abaixo do esperado para a idade cronológica (QI).
- QI abaixo de 70 nos testes psicométricos.
- Etiologia: múltiplas causas.
- Baixo desempenho nas atividades cotidianas como:
  – Cuidar da própria higiene.
  – Comunicação com familiares e estranhos.
  – Rendimento escolar.
  – Uso de componentes e instrumentos domiciliares.
  – Trabalhos diferenciados.
  – Jogos e brincadeiras.

- **Avaliação Clínica:**

  História: consanguinidade, deficiência intelectual e outras doenças na famíl
  Antecedentes familiares:
  Predisposições maternas: Rh-negativo, diabetes, desnutrição, ingestão d drogas (álcool, principalmente), idade materna (menos de 16 anos e mais d 35 anos), prematuridade, primiparidade, multiparidade acima de 45 ano condições emocionais traumáticas.
  Gestação: radiações durante a gravidez ou enfermidades infecciosas (saran po, rubéola, toxoplasmose), hemorragias, substâncias tóxicas, problema placentários (placenta prévia ou desprendimento), desnutrição e eclampsi
  Condições perinatais: nível de Apgar (anóxia), hiperbilirrubinemia, cordã umbilical, prematuridade, traumatismos e peso do feto (menos de 2,5 mais de 4,5 kg), tipo e duração do parto.
  Condições pós-natais: infecções (meningites, encefalites e abscessos), des nutrição, falta de mãe, fatores socioeconômicos, intoxicação por chumb deficiência de iodo, alterações hormonais, traumatismo cranioencefálico.
  Fatores ambientais: nutricionais (desnutrição) , infecciosos (citomegalovíru toxoplasmose, rubéola), acidentes, lesões e anóxia neonatal, intoxicação e síndrome de privação afetiva ou cultural, exposição materna a substância teratogênicas (álcool e drogas).
  Causas desconhecidas: quando nenhuma causa é identificada por meio de exames e história clínica, diz-se tratar de um retardo mental idiopático.
  Exame físico: essa avaliação é de suma importância pela grande quantidad de achados específicos compostos por sinais e estigmas próprios e caract rísticos das síndromes de retardo mental, sobretudo no cabelo, cabeça, rosto, pescoço, pele e dedos. É complementado pelo exame neurológico.
  – Incidência na população: 1% a 3%.
  – Comorbidade de outros transtornos mentais: quatro vezes mais do que n população normal.
  – Maior incidência no sexo masculino.
  – Menos expectativa de vida, porém essa está correlacionada ao nível int lectual do paciente e a etiologia do prejuízo da deficiência.

- Principais síndromes de deficiências intelectuais:
  - **Sindrome de Down (mongolismo).**

– Trissomia do par genético 21 (cromossopatia).
– Produz o maior número de retardo mental profundo.
– Sinais e estigmas: lábio leporino, língua volumosa, epicanto, pescoço e dedos curtos, dermatoglifia, baixa implantação de orelhas, catarata congênita, hipotonia muscular, otite média, alterações ósseas e cardíacas, malformações de trato digestivo, hipotireoidismo, perfil achatado, pés e mãos pequenos e grossos (pode haver encurvamento do quinto dígito e aumento da distância entre o primeiro e segundo artelho), prega simiesca e tecido adiposo abundante.
– Amniocentese e amostra do vilo coriônico permitem diagnóstico pré-natal.

- **Síndrome do X-Frágil**

– É de natureza hereditária, considerada a principal síndrome ligada ao cromossomo X e a segunda causa genética dessas deficiências.
– Grande comorbidade com hiperatividade e transtorno do espectro autista.
– Diagnosticado com técnicas de biologia molecular em amostras de sangue e determinação do nível de síntese da proteína alterada usando amostra de cabelo.
– Ocorre em 1 em cada 4.000 meninos e em 1 em cada 6.000 meninas.
– Uma em cada 259 mulheres tem a pré-mutação, não apresentando sintomas da doença, mas podendo transmitir para seus filhos.
– Recém-nascidos não apresentam indícios de aparência física que possam diagnosticar a síndrome.
– Evidências em crianças maiores: atraso no desenvolvimento psicomotor, otites médias frequentes, palato ogival, má oclusão dentária, transtornos oculares, alterações em estruturas cerebrais, convulsões e epilepsia, alterações no aparelho osteoarticular e no aparelho cardiovascular.
– Evidências em jovens e adultos: rosto alongado e estreito, orelhas proeminentes com implantação mais baixa e macrorquidismo após a puberdade.
– Hiperatividade e pouca capacidade de atenção, movimentos estereotipadas como mexer, morder, bater, etc. Ansiedade social e resistência a mudanças, ocasionalmente ocorrendo crises de pânico, inibição social, contato ocular escasso, humor instável, dificuldade de autocontrole.
– O comprometimento mental, independentemente do grau da deficiência, pode mostrar-se desarmônico e não uniforme.
– Dificuldades na área da linguagem e na comunicação, como alterações de ritmo e velocidade, repetições, incoerências, atrasos no aparecimento das primeiras palavras e dispraxias verbais.
– Fixação em detalhes visuais irrelevantes e dissociados do significado, habilidade em aprender por imitação visual, dificuldade em reter informações, em assimilar noções abstratas como leitura e escrita,
em generalizar e aplicar informações em situações novas.

- **Doença de Niemann-Pick**

– Doença metabólica, de transmissão autossômica recessiva, na qual duas cópias do gene associadas à patologia estão alteradas.
– Progenitores são portadores e não doentes.
– Pertence ao grupo dos lipidoses (acúmulo de esfingomielina e colesterol na substância cinzenta, no fígado e no baço).

– Aumento do fígado e do baço no período neonatal e presença de altera neurológicas que se manifestam, na maioria dos casos, entre os 4 e 10 an de idade e afetam a capacidade intelectual e motora, promovendo uma d mência progressiva.
– Conhecida por "Alzheimer nas crianças" por manifestar-se na idade esc lar, sendo fatal antes dos 20 ou até dos 10 anos de idade, e ser uma demên progressiva entre os 10 e 15 anos principalmente.
– Em cerca de 20% dos casos, as alterações neurológicas acontecem ant dos 2 anos de idade; em 60 a 70%, entre 3 e 15 anos; 10%, na forma adult
– Afeta meninos e meninas em igual proporção.
– Há atrasos na aprendizagem, dificuldades na fala, cataplexia, distonia, at xia cerebelosa, quedas frequentes, insucesso escolar, paralisia do olhar ve tical supranuclear e epilepsia.
– Há sintomas psiquiátricos que mimetizam esquizofrenia, depressão bipolaridade.
– O agravamento dos sintomas é progressivo, e quanto mais cedo se manif tam, mais rápido será o agravamento da doença.
– Não há cura, e a maioria dos indivíduos morre antes dos 20 ou 10 anos idade, sendo raro chegar até os 40 anos.

• **Doença de Tay-Sachs**
– Outra lipidose causada pela ausência da enzima hexosaminidase A, par cularmente nas células neuronais.
– Alta prevalência na população de judeus, particularmente do Leste c Europa, apesar de atingir todas as raças e populações.
– Os fenótipos da doença variam desde a forma aguda ou infantil, até a fo ma de início tardio ou crônico, que leva a uma sobrevida em longo prazo.
– Na forma infantil, entre os 3 e 6 meses de idade, aparecem sintomas cor fraqueza moderada, contrações mioclônicas e exagerada reação a sor agudos.
– Entre o 6º e o 10º mês, a criança não consegue adquirir novas habilidades motoras ou perde as já adquiridas, há hipotonia com dificuldades para engatinhar, sentar e controlar a cabeça.
– Após o 8º mês, há rápida progressão da doença com diminuição dos m vimentos involuntários, a criança torna-se progressivamente menos responsiva e a visão deteriora rapidamente, com a preservação da noção de claro e escuro.
– Por volta do 12º mês de vida, as convulsões são comuns; e, por volta do 18º mês, há macrocefalia progressiva.
– No segundo ano de vida há dificuldades para engolir, as convulsões aume tam e há um completo estado não responsivo, levando a criança à morte.
– A criança não sobrevive além do 4º ano de vida, porém há relatos de u caso em que a criança viveu até o 6º ano.
– Na forma juvenil, entre os 2 e 10 anos de idade, ocorre o desenvolvimen de ataxia e incoordenação, há regressão principalmente no desenvolvime to da fala, na parte motora, aparecem convulsões e ocorre a perda da visã Assim a morte geralmente ocorre entre o 10º e o 15º ano de vida num est vegetativo.
– Na forma adulta, os pacientes tendem a mostrar fraqueza muscular e tê manifestações psiquiátricas, como depressão psicótica recorrente, sintom bipolares e esquizofrenia aguda.

• Doença de Gaucher de tipo I
– Acúmulo cerebral de lipídeos, gangliosídios.
– Debilidade mental profunda, paralisia, convulsões.
– Manifestação tardia.

• Fenilcetonúria
– Existência de um defeito no metabolismo da fenilalamina produzido pela ausência de uma enzima; ocorre um acúmulo de fenilalamina nos líquidos corporais (sangue) e eliminação pela urina de ácido fenilpirúvico.
– O diagnóstico precoce (primeiras três semanas de vida) possibilita um bom prognóstico e tratamento.
– Uma dieta com baixo teor de fenilalanina é importante para evitar a hiperfenilalaninemia que causa essa deficiência, manifestação clínica mais grave da doença.
– A interrupção prematura do tratamento põe em risco as funções cognitivas e emocionais, como perda de QI, problemas com o aprendizado e raciocínio, além de ansiedades e distúrbios de personalidade.
– Podem ser encontrados diferentes tipos de hiperfenilalaninemias, devido ao erro metabólico envolvido, o que gera um grupo heterogêneo de doenças. Essas podem ser a fenilcetonúria clássica e as várias de hiperfenilalaninemias (HPAs), como a HPA persistente, a branda e a atípica.
– Sinais e estigmas: eczemas, pele e cabelos claros, alterações neurológicas, como epilepsia e cheiro de urina característico.
– Ocorre em todos os grupos étnicos, e a média da incidência é de 1:10.000 recém-nascidos.

• Síndrome do Miado de Gato ou Síndrome de *Cri-du-Chat*
– Alteração cromossômica por perda do braço do par cromossômico 5p - (deleção), porém translocações e inversões cromossômicas podem contribuir para a etiologia da síndrome.
– Afeta cerca de 1:50.000 nascidos vivos.
– O choro do recém-nascido portador da síndrome assemelha-se a um miado de gato, o que originou o nome.
– Sinais e estigmas: deficiência intelectual percebida logo no primeiro ano de vida, presença de microcefalia, hipertelorismo, orelhas de implantação baixa, escoliose, pé plano, hipertonicidade, protrusão da língua, má oclusão dentária e face alongada que, nos recém-nascidos, costuma ser arredondada.
– Há também fissuras palpebrais, estrabismo divergente, alargamento da base nasal e infecções respiratórias recorrentes.
– Convulsões são raras, e a cardiopatia congênita ocorre em 65% dos casos. Pode haver a presença de anomalias esqueléticas, neurológicas e renais.
– Algumas crianças morrem na infância em razão de malformações congênitas, porém há as que vivem até a adolescência e a idade adulta, necessitando de cuidados especiais.

• Síndrome de Edwards
– Trissomia no par 16-18 (cromossomopatia).
– Incidência de 1: 5.000 nascidos vivos.
– Sinais: baixo peso, crises de cianose, tremores, convulsões. Malformações oculares, cardíacas e cerebrais, boca pequena, lábio leporino. Hipoplasia genital, hérnia diafragmática, hérnia umbilical, pouco sulcos auriculares, atresia esofágica, rins em ferradura e defeito do septo ventricular.
– Mulheres apresentam ligeiramente maior incidência à doença.
– Prognóstico bastante limitado: 95% morrem como embriões ou fetos e 5 a 10% vivem o primeiro ano de vida.

- **Síndrome de Turner**

– Falta de um cromossomo sexual X em mulheres.

– Infantilismo sexual, cabelo de implantação baixa, ausência de estrógeno mamas pequenas e separadas, pescoço grosso com pregas, anormalidade renais, baixa estatura, infertilidade e cardiopatias.

- **Síndrome de Klinefelter**

– Cromossomopatia em homens (mosaicismo do cromossomo X-XXY).

– Tendência à estatura alta, testosterona baixa, ginecomastia, proporçõe corporais e distribuição de pelos e de gordura no corpo no padrão feminino, massa muscular reduzida, dificuldade de aprendizagem deficiência intelectual leve, alterações psicológicas e sexuais.

- Exames de sangue e urina podem ser reveladores das diferentes etiologias da deficiência, assim como a cultura de fibroblastos e leucócitos.
- EEG e neuroimagem são particularmente importantes e ajudam no diagnóstico, pc dendo levar ao esclarecimento precoce.
- Pesquisa citogenética quando se suspeita da presença da enfermidade cromossôm ca. São exames especiais, dentre eles o cariótipo (visualização dos cromossomos), pa identificação de alterações no número e na morfologia.
- Testes psicológicos para mensuração do nível intelectual

  – Escala de Bayley de desenvolvimento infantil – para crianças de menc de 2 anos e meio (estabelece índice de desenvolvimento mental e outro d capacidades psicomotoras).

  – Escala de Inteligência Stanford-Binet IV – para crianças de mais de 2 anc e meio (avalia quatro áreas: linguagem, pensamento abstrato, raciocíni quantitativo e memória a curto prazo).

  – Teste de Wechsler (WISC) – é o mais usado nas crianças com mais de 3 ano com diferentes versões adaptadas a cada faixa de idade (até os 16 anos).

  – Teste de Wechsler Adult Intelligence Scale (WAIS) – para maiores de 16 ano

  – Matrizes progressivas de Raven – de figuras e mesmo cores, analisa o pa drão lógico entre elas.

  – Kaufman Assessment Battery for Children (KABC) – avalia algumas cond ções neurológicas e linguísticas.

  OBS.: Os níveis de QI são guias e não devem ser utilizados rigidamente, er virtude das variações culturais.
- Testes e escalas para avaliação do comportamento adaptativo

  – Vineland Adaptive Behavior Scales (VABS) – para lactentes, bebês, criança pré-escolares com risco de atraso e comunicação.

  – AAMR Adaptive Behavior Scales (ABS) – para crianças a partir de 3 anc avalia inúmeros domínios do comportamento e seus processos adaptativo

  – Adaptive Behavior Assessment System (ABAS) – fornece normas compos por três áreas gerais de comportamento adaptativo (conceituais, sociais e práticas).

  – Comprehensive Test of Adaptive Behavior-Revised (CTAB-R) – testa seis ca tegorias de habilidades.

  – Scales of Independent Behavior (SIB-R) – fornece uma avaliação gl bal de 14 áreas do comportamento adaptativo e oito áreas de problema de comportamento.

- O diagnóstico é feito independentemente de outro transtorno psiquiátrico.
- **Não é** demência – anteriormente tinha um nível elevado de funcionamento.

F70 DEFICIÊNCIA LEVE

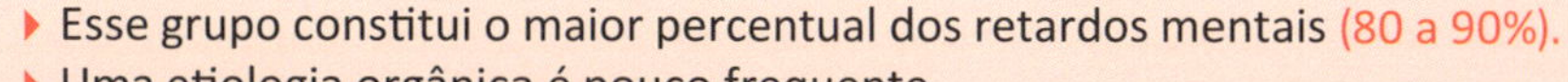

- Nível de QI de 50 a 70 (idade mental adulta de 8 a 12 anos).
- Uso da linguagem atrasado, em graus variados.
- Suas dificuldades são percebidas no rendimento escolar.
- Os portadores adquirem habilidades escolares até o nível de quinta e sexta séries.
- Geralmente conseguem independência em cuidados próprios e em habilidades práticas e domésticas, podendo a maioria ser bem sucedida na comunidade e ter vida independente.
- Conseguem bom contato de conversação, embora se note uma certa imaturidade emocional e social.
- Incapacidade acentuada de lidar com situações complexas: casamento, educação de filhos.

- Esse grupo constitui o maior percentual dos retardos mentais (80 a 90%).
- Uma etiologia orgânica é pouco frequente.
- Associa-se com autismo, epilepsia e outros transtornos de conduta ou incapacidade física.
- Há maior incidência de convulsões.
- Transtornos do desenvolvimento são encontrados em proporções variadas.
- Nível de independência baixo, necessitando constantes orientações situacionais.

- Durante os anos pré-escolares, pacientes com esse tipo de deficiência, frequentemente não são diferenciados de crianças normais, podendo haver somente um prejuízo mínimo na função sensoriomotora.

F71 DEFICIÊNCIA MODERADA

- Nível de QI de 35-40 (idade mental adulta de 6 a 9 anos).
- Fácil reconhecimento. Raramente ultrapassam o 1º grau escolar.
- Só conseguem participar de conversas simples.
- Parecem alheios às necessidades da vida em sociedade e têm dificuldades de cuidar de si mesmos, embora consigam comunicar suas necessidades básicas.
- Dificuldades na fala.
- Podem ter alguma habilidade visuespacial e desenvolver linguagem de sinais.
- Quase nunca conseguem independência na vida adulta.

- Esse grupo constitui aproximadamente 10% da população mentalmente retardada.
- São mais frequentes as etiologias orgânicas.
- A limitação do contato verbal com essas pessoas pode dificultar a identificação de outros transtornos associados, tais como os transtornos invasivos do desenvolvimento (autismo), epilepsia e outros distúrbios neurológicos que são comuns neste tipo de retardo. Recorre-se às informações de terceiros para se chegar ao diagnóstico e conseguir um melhor trabalho terapêutico.

F72 DEFICIÊNCIA GRAVE

- O QI é de 20 a 34 (idade mental adulta de 3 a 6 anos).
- Geralmente notado no nascimento.
- Pouca ou nenhuma fala comunicativa.
- Habilidades motoras precárias, só cuidando do corpo com treinamento (podem aprender a se vestir, comer sozinhos e fazer higiene pessoal).
- Problemas sérios de saúde, requerendo supervisão contínua.

- Apresentam anormalidades cerebrais frequentes.

F73 DEFICIÊNCIA PROFUNDA

DESCOBRINDO

- QI abaixo de 20.
- Facilmente identificáveis, apresentam deficiências em quase todos os aspectos.
- Só aprendem a receber ordens simples e a comunicar algumas necessidades da vida cotidiana, com grande falta de compreensão e limitação da linguagem.
- A maioria desses pacientes ficam imóveis ou gravemente restritos em suas mobilidades e incontinentes.
- Incapacidades neurológicas graves ou outros problemas físicos que afetam a mobilidade, como epilepsia e comprometimento visual e auditivo, são comuns.
- Necessitam de supervisão e cuidados individuais, inclusive na vida adulta.

- Frequentes associações com os transtornos invasivos do desenvolvimento trazendo gravidade ao caso e grandes dificuldades de manejo (grande incidência de autismo atípico).
- A maioria dos casos apresenta etiologia orgânica.
- Criados em famílias estimuladoras e afetivas, eles realizam mais do seu potencial como qualquer outro caso de retardo mental ou pessoas de inteligência normal.

DEFICIÊNCIA INTELECTUAL (TRANSTORNOS DO DESENVOLVIMENTO INTELECTUAL) NÃO ESPECIFICADOS

- Quando existe forte suposição de retardo mental, mas a inteligência do indivíduo não pode ser testada por instrumentos padronizados, em razão de prejuízos sensoriais ou físicos associados, tais como: cegueira ou surdez pré-linguística; na deficiência locomotora ou quando do aparecimento de comportamentos problemáticos graves ou nos casos de comorbidades com transtorno mental.

- Direcionada a crianças com mais de 5 anos de idade.
- Recomenda-se sua utilização, em circunstâncias especiais e que requer reavaliações após um período de tempo

BIBLIOGRAFIA GERAL

- Academia Americana de Psiquiatria. DSM-IV-TR: manual diagnóstico e estatístico de transtornos mentais. Porto Alegre: Artes Médicas; 2003.

- American Association on Mental Retardation. Mental retardation: definition, classification, and systems of supports. Washington DC: AAMR; 2002.

- American Psychiatric Association. Diagnostic and Statistical Manual of Mental Disorders DSM-IV. 4 th ed. Washington DC: APA; 1994.

- Annicchino AGPS, Matos EGA. Ansiedade de separação em adultos com transtorno de pânico: um tratamento cognitivo-comportamental. Estud Psicol. Mar 2007; 24(1): 33-9.

- Appolinário JC, Caludino AM. Transtornos alimentares. Rev. Bras. Psiquiatr. [Internet]. 2000 [citado 2012 Set 20]; 22(Suppl 2): 28-31. Disponível em: http://www.scielo.br/scielo.php?script=sci_arttext&pid=S1516-44462000000600008&lng=en.

- Aquino JG. Escola de segurança máxima? Entrevista concedida à Christian Carvalho Cruz. O Estado de S. Paulo [Internet]. 2011 [citado 2011 Maio 27]; Abr 10. Disponível em: http://www.estadao.com.br/noticias/suplementos,escola-de-seguranca-maxima,704293,0.htm.

- Assumpção JFB, Kuczynski E. Autismo Infantil: Novas Tendências e Perspectivas. 2ª ed. São Paulo: Editora Atheneu; 2015.

- Baer RD, Weller SC, de Alba García, JG, Glazer M, Trotter R, Pachter L, Klein RE. A cross-cultural approach to the study of the folk illness Nervios. Cult Med Psychiatry. 2003 Sep; 27(3):315-37.

- Barbosa GA. Transtornos hipercinéticos. Infanto. 1995; 3: 12-9.

- Bielecki J, Swender SL. The assessment of social functioning in individuals with mental retardation: a review. Behav Modif. 2004 Sep; 28(5):694-708. Review.

- Bordina IAS, Offordb DR. Transtorno da conduta e comportamento antissocial. Rev Bras Psiquiatr. [Internet]. 2000 Dez [citado 2012 maio 09]; 22(Suppl2): 12-15. Disponível em: http://www.scielo.br/scielo php?script=sci_arttext&pid=S1516--44462000000600004&lng= en.

- Braga ARM, Kunzler LS, Hua FY. Transtorno bipolar na infância e na adolescência. J Bras psiquiatr. [Internet]. 2010 [citado 2012 Nov 25]; 59(4):341-2. Disponível em: http://www.scielo.br/scielo.php?script=sci_arttext&pid=S0047-20852010000400012&lng=en. http://dx.doi.org/10.1590/S0047-20852010000400012.

- Brasil. Ministério da Saúde Brasil. Secretaria de Atenção à Saúde. Departamento de Ações Programáticas Estratégicas. Diretrizes de Atenção à Reabilitação da Pessoa com Transtornos do Espectro do Autismo / Ministério da Saúde, Secretaria de Atenção à Saúde, Departamento de Ações Programáticas Estratégicas. Brasília : Ministério da Saúde; 2013. [Série F. Comunicação e Educação em Saúde].

- Brietzke E, Kauer-Sant'anna M, Andréa Jackowski A, Grassi-Oliveira R, Bucker J, Zugman A et al. Impacto de estresse na infância na psicopatologia. Rev Bras Psiquiatr [Internet]. 2012 Dez [citado 2012 Ago 23]; 34(4): 480-488. Disponível em: http://www. scielo.br/scielo.php?script=sci_arttext&pid=S1516-44462012000400016&lng=en.

- Brown TE. Executive functions: Describing Six Aspects of a Complex Syndrome. In Attention, feb. 2008.

- Bucci E. Deixar a vida para entrar no espetáculo. Observatório da Imprensa [Internet]. 2011 [citado 2011 Out 11]; Abr 09. Disponível em: http://migre.me/5U7hi.

- Calderaro RSS, Carvalho CV. Depressão na infância: um estudo exploratório. Psicol Estud [Internet]. 2005 [citado 2011 Mar 18]; 10(2): 181-9. Disponível em: http://www.scielo.br/ scielo.php?script=sci_arttext&pid=S1413-73722005000200004&lng=en&nrm=iso.

- Calligaris C. Coisa de homens. Folha de S. Paulo [Internet]. 2009 [citado 2011 Maio 06]; Mar 19. Disponível em: http://www1.folha.uol.com.br/fsp/ilustrad/fq1903200924.htm.

- Calligaris C. Realengo. Folha de S. Paulo [Internet]. 2011 [citado 2011 Maio 08]; Abr 14. Disponível em: http://www1.folha.uol.com.br/fsp/ilustrad/fq1404201126.htm.

- Campos MCR. Peculiaridades do transtorno obsessivo-compulsivo na infân cia e na adolescência. Rev Bras Psiquiatr. [Internet]. 2001 [citado 2012 De: 02]. 23(Suppl 2). Disponível em: http://www.scielo.br/scielo.php?pid=S1516 44462001000600008&script=sci_arttext.

- Cardoso-Martins C, Corrêa MF, Magalhães LFS. Dificuldade específica de aprendiza gem da leitura e escrita. In: Malloy-Diniz LF, Fuentes D, Mattos P, Abreu N. Avaliação Neuropsicológica. Porto Alegre: Artmed, 2010. p. 133-148.

- Cavalcante AEC, Rocha PS. Autismo. 2 ed. São Paulo: Casa do Psicólogo; 2002.

- Ciasca SM, Rodrigues SD, Salgado, CA. TDAH-Transtorno de déficit de Atenção e Hiperatividade. Rio de Janeiro: Editora Revinter; 2010.

- Concerning Negro Sorcery in the United States. The Journal of American Folklore 1890; 1:281-7.

- Cosenza RM, Guerra LB. Neurociência e educação: como o cérebro aprende. Porto Alegre: Artmed, 2011.

- Costa AJ, Antunes AM. Transtorno do Espectro Autista na Prática Clínica. São Paulo Pearson Clinical Brasil; 2018. 248p.

- Coutinho JP. Terrorismo é vaidade. Folha de S. Paulo [Internet]. 2011 [citado 2011 Jun 14]; Maio 10. Disponível em: http://www1.folha.uol.com.br/fsp/ilustrad/ fq1005201116.htm.

- Demoniacal possession in Angola, Africa. The Journal of American Folklore. 1893 6(23): 258.

- Fletcher JM, Lyons GR, Fuchs LS, Barnes MA. Transtornos de aprendizagem: da identificação à intervenção. Porto Alegre: Artmed; 2009.
- Fontenot, WL. Secret doctors: Ethnomedicine of African Americans. Westport: Bergin & Garvey; 1994.
- Franco G. Síndrome de Dhat. [Internet]. 2009 [citado 2011 Ago 18]. Disponível em: http://dicionariodesindromes.blogspot.com.br/2009/07/sindrome-de-dhat.html.
- Freire RM, Passos MCP. Gagueira: uma questão discursiva. Trab Linguist Apl. [Internet]. 2012 [citado em 14 Jun 2011]; 51(1): 153-173 . Disponível em: http://www.scielo.br/scielo.php?script=sci_arttext&pid=S0103-18132012000100008&lng=en&nrm=iso.
- Fu-I L, Boarati MA, Pereira A, Maia APF, Castillo ARGL, Zeni CP et al. Transtorno bipolar na infância e na adolescência. São Paulo: Elsevier; 2010.
- Fu-I L, Boarati MA, Maia APF, Vizzotto ADB, Lima ABD, Cavalcanti ARS et al. Transtornos afetivos na infância e adolescência. Diagnóstico e tratamento. Rio de Janeiro: Artmed; 2012.
- Golfeto JH, Veiga MH, SouzaL, Barbeira C. Propriedades psicométricas do inventario da depressão infantil (CDI) aplicado em uma amostra de escolares de Ribeirão Preto. Rev Psiquiatr. 2002; 29(2): 66-70.
- Gonzalez CH. Transtorno obsessivo-compulsivo. Rev Bras Psiquiatr. [Internet]. 1999 Out. [citado 2011 Jul. 13]; 21(Suppl 2): 31-34. Disponível em: http://www.scielo.br/scielo.php?pid=S1516-44461999000600009&script=sci_arttext.
- Gupta AR, State MW. Genetics of autism. Rev Bras Psiquiatr. 2006; 28(Suppl 1): 30-9.
- Haase V, de Moura RJ, Pinheiro Chagas P, Wood G. Discalculia e dislexia: semelhança epidemiológica e diversidade de mecanismos neurocognitivos. In: Alves LM, Mousinho R, Cappelini AS. Dislexia: Novos Temas, Novas Perspectivas. Rio de Janeiro: Wak Editora; 2011.
- Haase VG, Moura RJ, Chagas PP, Wood G. Discalculia e dislexia: semelhanças epidemiológicas e diversidade de mecanismos neurocognitivos. In: Alves LM, Mousinho R, Capellini SA. (Orgs.). Dislexia: Novos Temas, Novas Perspectivas, Publisher: Rio de Janeiro: Wak, 2011, p. 257-282.
- Hazoum P. Doguicimi. The first Dahomean novel. Washington, DC: Three Continents Press; 1990.
- http://benfranzpsicanalise.com/wp-content/uploads/2012/12/S%C3%ADndrome-de-Estocolmo.pdf
- http://exame.abril.com.br/tecnologia/noticias/crime-que-originou-sindrome-de-estocolmo-completa-40-anos?page=2

- http://freudexplicablog.blogspot.com.br/2006/10/sndrome-de-estocolmo-ou-quando-vida.html
- http://pt.wikipedia.org/wiki/Natascha_Kampusch
- http://pt.wikipedia.org/wiki/Patty_Hearst
- http://pt.wikipedia.org/wiki/Síndrome_de_Estocolmo
- http://www.casernapapamike.com.br/o-que-e-a-sindrome-de-estocolmo/
- http://www.indicedesaude.com/artigos_ver.php?id=2206
- Hurston ZN. Tell my horse: voodoo and life in Haiti and Jamaica. New York: Harpe Perennial; 1990.
- Isolan LR, Zeni CP, Mezzomo K, Blaya C, Kipper L, Heldt E et al . Behaviorial inhibi tion and history of childhood anxiety disorders in Brazilian adult patients with pa nic disorder and social anxiety disorder. Rev Bras Psiquiatr. [Internet]. 2005 [ci tado 2012 Out 10]; 27(2): 97-100. Disponível em: http://www.scielo.br/scielo php?script=sci_arttext&pid=S1516-44462005000200005&lng=en.
- Klin A. Autism and Asperger syndrome: an overview. Rev Bras Psiquiatr. 2006 28(Suppl 1):3-12.
- Kraijer D. Review of adaptive behavior studies in mentally retarded persons with autism/pervasive developmental disorder. J Autism Dev Disord. 2000 Feb; 30(1):39-47. Review.
- Kurz R. A ignorância da sociedade do conhecimento. Folha de S. Paulo, 2002 Jan 13 Caderno Mais: 14-5.
- Lima D. Depressão e doença bipolar na infância e adolescência. J Pediatr. 2004 Abr 80(2): 11-20.
- Lima R. Após o massacre. O Diário do Norte do Paraná [Internet]. 2011 [citado 2011 Ago 11]; Maio 07. Disponível em: http://www.odiario.com/opiniao/noticia/415199/apos-o-massacre/.
- Lima R. Massacre nas escolas. Rev Esp Acad [Internet]. 2009 Maio [citado 2012 Ju 05]; 96. Disponível em: http://www.espacoacademico.com.br/096/96lima.htm.
- Lopes-Silva JB, Moura R, Júlio-Costa A, Wood G, Salles JF, Haasr VG. What is Specific and What is Shared Between Numbers and Words? Frontiers in Psychology. 02 February 2016.
- Luckasson R, Borthwick-Duffy S, Buntinx WHE, Coulter DL, Craig EM, Reeve A et al. Mental retardation: definition, classification, and systems of supports. 10th ed. Washington DC: American Association on Mental Retardation; 2002
- Luria AR. Desenvolvimento cognitivo. São Paulo: Ícone; 1990.

- Manfro GG, Isolan L, Blaya C, Maltz S, Heldt E, Pollack MH. Relationship between adult social phobia and childhood anxiety. Rev. Bras. Psiquiatr. [Internet]. 2003 Jun [citado 2011 Nov 13]; 25(2): 96-99. Disponível em: http://www.scielo.br/scielo.php?script=sci_arttext&pid=S1516-44462003000200009&lng=en.

- Manfro GG, Isolan L, Blaya C, Santos L, Silva M. Estudo retrospectivo da associação entre transtorno de pânico em adultos e transtorno de ansiedade na infância. Rev. Bras. Psiquiatr. [Internet]. 2002 Mar [citado 2011 Nov 12]; 24(1): 26-29. Disponível em: http://www.scielo.br/scielo.php?script=sci_arttext&pid=S1516-44462002000100008&lng=en.

- Manual diagnóstico e estatístico de transtornos mentais [recurso eletrônico]: DSM-5 / [American Psychiatric Association; tradução: Maria Inês Corrêa Nascimento ... et al.]; revisão técnica: Aristides Volpato Cordioli ... [et al.]. – 5. ed. – Dados eletrônicos. – Porto Alegre: Artmed, 2014.

- Matos JP, Rossoll ALZ. Tiques e síndrome de Gilles de la Tourette Arq Neuro-Psiquiatr. [Internet]. 1995 Mar [citado 2011 Abr 14]; 53(1): 141-6. Disponível em: http://www.scielo.br/pdf/anp/v53n1/22.pdf.

- Mattila ML, Kielinen M, Jussila K, Linna SL, Bloigu R, Ebeling H, Moilanen I. An epidemiological and diagnostic study of Asperger syndrome according to four sets of diagnostic criteria. J Am Acad Child Adolesc Psychiatry. 2007 May; 46(5): 636-46.

- Mello AMSR. Autismo: guia prático. 3 ed. São Paulo: AMA; Brasília: CORDE; 2004.

- Menezes Júnior A, Moreira-Almeida A. O diagnóstico diferencial entre experiências espirituais e transtornos mentais de conteúdo religioso. Rev Psiq Clín. 2009; 36(2):75-82.

- Mercadante MT, Van der Gaag RJ, Schwartzman JS. Non-Autistic Pervasive Developmental Disorders: Rett syndrome, disintegrative disorder and pervasive developmental disorder not otherwise specified. Rev Bras Psiquiatr. 2006; 28(Suppl 1):13-21.

- Metraux A. Voodoo in Haiti. New York: Random House; 1989.

- Oliveira BV, Domingues CEF, Juste FS, Andrade CRF, Moretti-Ferreira D. Gagueira desenvolvimental persistente familial: perspectivas genéticas. Rev Soc Bras Fonoaudiol. [Internet]. 2012 [citado 2011 Ago 03]; 17(4): 489-94. Disponível em: http://www.scielo.br/scielo.php?script=sci_arttext&pid=S1516-80342012000400021&lng=en.

- Oliveira CMC, Bernardes APL, Broglio GAF, Capellini SA. Perfil da fluência de indivíduos com taquifemia. Pró-Fono R Atual Cient [Internet]. 2010 Dez [citado 2012 Nov 12]; 22(4): 445-450. Disponível em: http://www.scielo.br/scielo.php?script=sci_arttext&pid=S0104-56872010000400014&lng=en.

- Oliveira MHMA, Gargantini MBM. Comunicação e gagueira. Estud Psicol [Internet]. 2003 [citado 18 Ago 2011]; 20(1): 51-60. Disponível em: http://www.scielo.br/scielo.php?script=sci_arttext&pid=S0103-166X2003000100005&lng=en&tlng=pt.

- Organização Mundial da Saúde. CID-10 Classificação Estatística Internacional de Doenças e Problemas Relacionados à Saúde. 10a rev. São Paulo: Universidade de São Paulo; 1997. vol.1.

- Organização Mundial da Saúde. Classificação de transtornos mentais e de compo tamento da CID-10: descrições clínicas e diretrizes diagnósticas. Porto Alegre: Arte Médicas; 1993.
- Organização Mundial de Saúde. Classificação Internacional de Doenças CID 10. 1. ed São Paulo: EDUSP; 1994.
- Pereira, DAP, Raposo VLA. Escala de avaliação de depressão para crianças: um estu do de validação. Estudos de Psicologia [Internet]. 2004 [citado 2012 Nov 22]; 21(1 5-23. Disponível em: http://www.scielo.br/scielo.php?script=sci_arttext&pid S0103-166X2004000100001&lng=en&tlng=pt.
- Polanczyk GV, Lamberti MTMR, coordenadores. Psiquiatria da infância e adolescên cia Barueri: Manole; 2012. [Coleção Pediatria Instituto da Criança HCFMUSP].
- Prado EST, Revers MC, Marrocos RP. Mutismo seletivo. Ou eletivo? Casos Cli Psiquiatria [Internet]. 2008 [citado 2011 Set 13]; 10: [13 p.].
- Reusche L, María R, coordenadores. La niñez: construyendo identidad. Lima: UNIFE Facultad de Psicología y Humanidades; 1997.
- Revistas eletrônicas. A aprendizagem da leitura modifica as redes corticais da visã e da linguagem verbal. Stanislas Dehaene. Disponível em: http://revistaseletronicas pucrs.br/ojs/index.php/fale/article/view/12113. Acesso em 23/11/2018
- Ribeiro JUR. O culpado é ele mesmo. O Estado de S. Paulo [Internet]. 2011 [cita do 2012 Set 17]; Abr 17. Disponível em: http://www.estadao.com.br/noticias impresso,o-culpado-e-ele-mesmo,707358,0.htm.
- Rohdea LA, Barbosa G, Tramontinac S, Polanczykd G. Transtorno de déficit de aten ção/hiperatividade. Rev Bras Psiquiatr. [Internet]. 2000 [citado 2012 Dez 14]; 22, s.2 Disponível em: http://dx.doi.org/10.1590/S1516-44462000000600003.
- Rotta NT, Ohlweiler L, Riesgo RS. Transtornos da aprendizagem: abordagem neuro biológica e multidisciplinar. Porto Alegre: Artmed; 2006.
- Salum GA, Isolan LR, Bosa VL, Tocchettol AG; Techel SP, Schuch I et al. The multidi mensional evaluation and treatment of anxiety in children and adolescents: rationa le, design, methods and preliminary findings. Rev Bras Psiquiatr [Internet]. 2011 Ju [citado 2012 Jan 13]; 33(2): 181-195. Disponível em: http://www.scielo.br/scielo php?script=sci_arttext&pid=S1516-44462011000200015&lng=en.
- Santos S, Dantas L, Oliveira JA. Desenvolvimento motor de crianças, de idosos e d pessoas com transtornos da coordenação. Rev Paul Educ Fís. 2004 Ago; 18: 33-44.
- Schwartzman JS. Rett syndrome. Rev Bras Psiquiatr. 2003; 25(2): 110-3.
- Simons RC. The resolution of the Latah paradox. J Nerv Ment Dis. 1980 Apr 168(4):195-206.
- Simons, RC. Introduction to Culture-Bound Syndromes. Psychiatric Times [Internet] 2001 Nov 1 [citado 2011 Ago 09]; 18(11). Disponível em: http://www.psychiatricti mes.com/cultural-psychiatry/introduction-culture-bound-syndromes-0.

- Soifer R. Psiquiatria infantil operativa. 3 ed. Porto Alegre: Artes Médicas; 1992.
- Souza IGS, Serra-Pinheiro MA, Mousinho RMP. A Brazilian version of the "Children's Interview for Psychiatric Syndromes" (ChIPS). J. Bras. psiquiatr. [Internet]. 2009 [citado 2012 Nov 13] ; 58(2): 115-118. Disponível em: http://www.scielo.br/scielo.php?script=sci_arttext&pid=S0047-20852009000200008&lng=en.
- Stevens H. Jumping frenchman of Maine. Myriachit. Arch Neurol. 1965; 12: 311-4.
- Sumathipala A, Siribaddana SH, Bhugra D. Culture-bound syndromes: the story of dhat syndrome. BJP. [Internet]. March 2004 [citado 2011 Maio 04]; 184: 200-9. Disponível em: http://bjp.rcpsych.org/content/184/3/200.long.
- Teixeira P. Síndrome da Asperger. Psicologia.pt. O Portal dos Psicólogos. [Internet]. [citado 2012 Out 10]. Disponível em: www.psicologia.pt/artigos/textos/A0254.pdf.
- The MTA Cooperative Group. Moderators and mediator of treatment response for children with attention-deficit/hyperactivity disorder. Arch Gen Psychiatry 1999; 56:1088-1096.
- Vasconcelos MM. Retardo mental. J Pediatr. 2004; 80: S71-82
- Sadock BJ, Sadock VA, Ruiz PR. Compêndio de Psiquiatria: Ciência do Comportamento e Psiquiatria Clínica. Tradução: Marcelo de Abreu Almeida [et al.]; revisão técnica: Gustavo Schestatsky [et al] – 11 eds. Porto Alegre: Artmed, 2017.–

ÍNDICE REMISSIVO

E

F

G

H

I

J

K

L

M

N

P

Q

R

S

T

V

W